Prisma Pocket

2

Gerald

Kinderen

Prisma
Het Nederlandse pocketboek

ZEVEN CITADELLEN DEEL TWEE

GERALDINE HARRIS

KINDEREN VAN DE WIND

Uitgeverij Het Spectrum
Utrecht / Antwerpen

Oorspronkelijke titel: *The Children of the Wind*
Uitgegeven door Macmillan Children's Books, Londen

Vertaald door Frédérique van der Velde
Eerste druk 1985

01-2369.01 D 1985/0265/391 ISBN 90 274 1512 9

CIP

Het Keizerlijk Huis

† Keizer Zin-Loka
gehuwd met ZILLELA van Gannoth

Izeldon
Hogepriester van Zeldin

Keizer KA-LITRAAN
geh.m. (1) † MELFANEE van Jenoza

Prinses MELDIKA
geh.m. ORALD van Morolk

Geh.m. (2) RIMOKA van Chiraz

KA-METRANEE
Hogepriesteres van Imarko

geh.m.(3) † TAANA van Erandatsjoe

PRINS LI-KROCH
geh.m. ZYRINDELLA van Tryfanië

PRINS KA-RIM-LOKA
geh.m. (1)KELINDA van Seld
geh.m. (2) GANKALI van Forgin

PRINS IM-LO-TORIM

PRINS KERISJ-LO-TAAN

PRINSES KOLIGANI

KOR-LI-ZYNAK

KINDEREN VAN DE KEIZER BIJ CONCUBINES

1 bij † VALDISSA	2 bij FOLLEA	3 bij † MELZEEN (vrouw van de gouverneur van Tryfanië)
HEER JERENAC	HEER FOROLLKIN	ZYRINDELLA

KAART VAN ZINDAR TEN

'IJDE VAN KERISJ-LO-TAAN

Wat vooraf ging

Het begin van het verhaal *De Citadel* wordt verteld in het boek Prins van de Godgeborenen. In het oosten van Zindar ligt het grote Galkische rijk, dat wordt bestuurd vanuit de gouden stad Galkis. Hier worden Zeldin, de Zachtmoedige God en zijn menselijke gemalin Vrouwe Imarko aanbeden. Galkis staat voortdurend bloot aan aanvallen van de barbaarse koninkrijken aan zijn grenzen en is inwendig verzwakt door intriges en twisten onder de heersende familie, de Godgeborenen.

Een nieuw bondgenootschap van machtige vijanden leidt tot een nieuwe crisis en de wijze hogepriester Izeldon houdt een heel oude voorspelling over een gevangen gehouden verlosser voor de enige hoop voor Galkis. Hij vraagt de derde zoon van de keizer, zijn lievelingszoon, de zeventienjarige prins Kerisj-lo-Taan, Zindar in te gaan om de Verlosser van Galkis te zoeken. Kerisj heeft geen enkele ervaring met de wereld buiten het Galkische hof en werd ook nooit opgeleid in het gebruik van de erfelijke occulte machten van de Godgeborenen, maar hij aanvaardt de opdracht met geestdrift.

Izeldon onthult dat de enige manier om de Verlosser te bevrijden is de zeven sleutels van de poorten van zijn gevangenis te bemachtigen, maar elke sleutel is in handen van een onsterfelijke tovenaar. De eerste van deze zeven tovenaars is Elmandis, de tiran van Ellerinonn, maar niemand in Galkis weet precies waar de andere zes te vinden zijn. De keizer staat erop dat Kerisj zijn speurtocht samen met zijn verstandige halfbroer heer Forollkin onderneemt en de twee jongelui vertrekken samen.

Tijdens de zeereis naar Ellerinonn wordt hun schip door het al te grote vertrouwen van Kerisj aangevallen door de wrede rovers van Fangmere en Forollkin wordt gewond. Wanneer ze in Tir-Rinnon, Elmandis' citadel, aankomen moet Kerisj zijn trots inslikken en de tovenaar vragen zijn broer te genezen. Koning Elmandis blijkt een filosoof te zijn die heerst over een volk dat zich wijdt aan het brengen van vrede en genezing in Zindar. Hij beschouwt de komst van Kerisj als een ramp, omdat elke tovenaar die afstand van zijn sleutel doet zijn onsterfelijkheid verliest. Kerisj moet angstaanjagende beproevingen doorstaan en al zijn overredingskracht gebruiken om de edele Elmandis ertoe over te halen de eerste sleutel af te staan.

De tweede tovenaar is Ellandellore, de jongere broer van Elmandis, wiens domein Cheransee is, het eiland van zinsbegoochelingen. Ellandellore is een verdwaasd kind dat er niet toe te wegen is zijn sleutel op te geven die hem eeuwig kind laat jn. Kerisj gaat alleen naar Cheransee en speelt een gevaarlijk pelletje met Ellandellore om met list zijn sleutel te bemachtigen. Wanneer Kerisj van het eiland ontsnapt, roept de woedende tovenaar een storm op en de prins wordt alleen van de verdrinkingsdood gered door de macht van Elmandis. Nu ze beiden hun onsterfelijkheid kwijt zijn, hoopt Elmandis zijn broer te helpen eindelijk volwassen te worden. Hij vertelt de Galkiërs dat ze de derde tovenaar in de Verste Bergen moeten zoeken, in het uiterste noorden, en stuurt hen op weg met een mysterieuze reisgenoot, de foeilelijke en hondsbrutale Gidjabolgo.

In de haven van Pin-Fran verlaten de prins en zijn metgezellen hun Galkische schip en boeken passage naar het noorden op de boot van de koopman-jager Ibrogdiss. Kerisj, Forollkin en Gidjabolgo staat een gevaarlijke reis te wachten door de onherbergzame moerassen van Lan-Pin-Fria naar de Verste Bergen en de citadel van de derde tovenaar. Het verhaal wordt nu vervolgd in *De Kinderen van de Wind*.

1
Het Boek der Keizers: *Waarschuwingen*

En de makers van dromen zijn gezegend wanneer hun liederen geweven zijn met de levensdraad en het web verstevigd wordt.
En de makers van dromen zijn vervloekt wanneer hun liederen de levensdraad ontrafelen en het web verzwakt wordt.

De Friaanse moerassen kenden alleen een nat en een droog seizoen. Drie maanden van het jaar regende het. Het land huiverde, de vier grote rivieren en hun zijrivieren traden buiten hun oevers en dorpen en gehuchten werden overstroomd door kolkend bruin water. De lemen hutten van de armen werden bij duizenden meegesleurd en zij, die zich niet in veiligheid hadden kunnen brengen op hogere grond, werden verzwolgen met hun hutten. Dezelfde watermassa's bulderden vaak onder de huizen van de rijken op hun sterke palen, maar in een slecht jaar stortten zelfs die in en hele dorpen verdronken.

Degenen die de overstroming overleefden zaten opgesloten in hun huizen tot de regen ophield en het water zich langzaam terugtrok. Dan bleven de straten onder dikke lagen modder achter en menigeen stierf aan ziekten die door de stijgende hitte in het slijk ontkiemden. Vijf maanden lang waren de rivieren diep genoeg om bevaarbaar te zijn en kooplieden voeren naar het noorden op zoek naar gauza en or-gar-geehuiden, girvruchten en moeraskatten. De armen bouwden nieuwe hutten van leem en riet, zochten yulgorwortelen en zetten vallen voor de vogels en vissen waarvan het hun verboden was ze te schieten of te spietsen. In de stijgende hitte verdwenen de kleinere rivieren, het land verschroeide en mensen stierven van watergebrek tot de regen terugkwam om de ouden en zwakken een snellere dood en de moerassen nieuw leven te brengen.

In de maand Y-kor, toen de rivieren gezwollen waren, vertrok de *Groene Jager* uit Lan-Pin-Fria naar het noorden, met bestemming Lokrim. Het schip voer tegen de stroom op en vaak was er niet genoeg wind om de zeilen te bollen. Dan was de uit slaven bestaande bemanning gedwongen te roeien, terwijl Ibrogdiss, de koopman-jager, op het dek op en neer liep en zijn goden smeekte hem de yalgbossen te laten bereiken voor de beste gauza geplukt was. Maar op deze reis was hij vaak gedwongen te treuzelen om zich aan de grillen van zijn passagiers aan te passen.

Ibrogdiss klaagde niet, de Galkische edellieden betaalden hem goed; als zij hun goud wilden verspillen aan moerasplanten en vogels die ze op elke markt hadden kunnen kopen voor de prijs van een girvrucht was dat hun zaak. Iedereen wist dat de keizer van Galkis gek was; en tot zijn genoegen werd het vermoeden van Ibrogdiss bevestigd dat alle Galkiërs aan deze ziekte leden.

Maar op de zevende ochtend van de reis was het niet terwille van de passagiers dat de *Groene Jager* tot ver na de dageraad nog in het midden van de rivier voor anker lag. Ibrogdiss, zijn groene haar los over zijn schouders en zijn gezicht ingesmeerd met leem, wierp bittere kruiden in een komfoor en riep mompelend Log-ol-ben, de geest van de rivieren, aan. De bemanning zat in een kring verzoenende gebeden te neuzelen. Verborgen onder zijn haveloze mantel sliep de knecht van de Galkiërs door in de beschaduwde hoek van het dek die hij zich had toegeëigend, maar het lawaai stoorde zijn meesters.

De flap van hun tent werd driftig geopend en een lange jongeman kwam te voorschijn die zijn tuniek nog aan het dichtknopen was en zijn lange bruine haar geërgerd achterover wierp. Hij beende over het dek naar Ibrogdiss.

'Wat betekent al dat kabaal in Zeldins naam?'

'Ik heb kwade dromen gehad,' fluisterde Ibrogdiss dramatisch. 'En het is een dag van kwade voortekens. Een godjik ging bij zonsopgang op de mast zitten, een leetor vloog over onze boeg naar het oosten en een ko-lunga ligt daarginds dood op de oever zonder een spoor van een wond.'

De koopman-jager wapperde scherpe rook naar de jonge Galkiër. 'Ik zal u purifiëren, heer Forollkin en als u nu een juweel overboord zou gooien en tot het vallen van de duisternis in uw tent blijft, zullen de goden wie weet niet al te boos zijn.'

'Ik denk er niet aan,' snauwde Forollkin. 'Als ik nog één ogenblik langer in die tent blijf zal ik stikken.'

'De voortekens', mopperde Ibrogdiss. 'Ik moet de twaalf bezweringen uitspreken om de goden te verzoenen...'

'*Jij* mag wat mij betreft de hele morgen een hoop veren bezweren', zei Forollkin. 'Maar wij nemen de boot en gaan er op uit zoals het plan was. Je had het over lelies...'

'Nee, nee, de goden zijn vertoornd. Als u gaat, zal het moeras u verzwelgen en wie zal mij dan de rest van het goud betalen dat u me beloofd hebt? Heer Kerisj, spreek met uw broer!'

Ibrogdiss wendde zich tot de tweede Galkiër die uit de tent kwam.

De bemanning van de *Groene Jager* kermde nog luider. 'Vertel me eens, Ibrogdiss,' antwoordde Kerisj-lo-Taan, 'waarom zijn je mannen bang voor mij?'

'Ze zeggen dat u een geest moet zijn, heer, ze kennen de wereld niet en hebben nog nooit een vreemdeling gezien die eruitziet zoals u.'

'Maar jij weet wel beter, Ibrogdiss,' mompelde Kerisj. 'Heb je ze niet gezegd dat ik net zo'n man ben als zij?'

'Dat heb ik ze gezegd, maar het zijn slaven en zij hebben geen verstand van de wereld zoals wij.'

'Juist,' zei Kerisj die zag dat de handen van Ibrogdiss zich nu om de bonte verzameling amuletten klemden die altijd om zijn hals hing. 'Wel, we kunnen er maar beter met de boot op uit gaan voor het echt warm wordt.'

'Heer Kerisj,' kermde de koopman-jager, 'ik heb al tegen uw broer gezegd dat het een dag van kwade voortekens is, geen van mijn schepelingen wil met u meegaan.'

'Ibrogdiss, wij betalen...' begon Forollkin, maar Kerisj viel hem in de rede: 'Wij worden beschermd door een machtige geest. De moerassen zullen ons geen kwaad doen.'

'Ongetwijfeld heeft uw geest uw offers aangenomen en erin toegestemd u te beschermen,' antwoordde de koopman-jager, 'maar wat geeft uw geest om mij of mijn mannen? Wij hebben hem geen offers gebracht en wij spreken zijn taal niet.'

'Als ik het vraag zal onze geest jullie allemaal beschermen,' zei Kerisj kalm.

'Ja, zeg hun dat,' beval Forollkin, 'en laten we gaan.'

'Vraag hen of iemand van hen met ons mee wil gaan,' prevelde Kerisj. Ibrogdiss sprak in rap Friaans tegen zijn bemanning. Het gekerm verstomde geleidelijk en de koopman-jager koos een van zijn mannen uit die Zindars sprak.

'Dau gaat met u mee.'

Forollkin keek weifelend naar de slaaf en Kerisj wipte de tent weer binnen. Hij kwam naar buiten met een stuk van zijn zelspel. Dat gaf hij aan de verblufte slaaf en zei langzaam: 'Draag deze amulet bij je. Hij zal je beschermen.'

'Sterke amulet?' vroeg de Friaan.

'Heel sterk,' bevestigde Kerisj.

Dau stopte het gouden en purperen miniatuurveertje in zijn lendendoek en schoot naar de reling om de rieten boot te water te laten. Forollkin speelde met de gedachte Gidjabolgo wakker te schoppen, maar besloot dat de tocht vrediger zou zijn zonder het gezelschap van hun bediende.

Weldra kon de bemanning van de *Groene Jager* voortgaan met het lange en onsmakelijke ritueel van de twaalf bezweringen, terwijl Dau de rieten boot naar een binnenwater pagaaide, uit het gezicht van het schip. De nevel die over de rivieren en plassen hing loste in de toenemende hitte op. Forollkin, die de Friaanse moerassen lelijk en troosteloos vond, hing achterin de boot en krabde de insektenbeten en steken die hem zo prikkelbaar maakten. Maar Kerisj ontdekte voortdurend fragmenten van schoonheid in het naargeestige landschap van modder en riet en dompige klittende boomgroepen.

Er waren spectaculaire vogels; grote vogels die in het ondiepe water waadden en met hun snavels vissen spietsten; kleine bonte vogeltjes die in de girbomen zaten en hun veren gladstreken en kwetterden; witte vogels die in grote opgeschrikte zwermen opvlogen uit het riet; bruine vogels die loom op het groene water dreven tussen de oogverblindende moerasbloemen.

Toen het riviertje smaller werd moest Dau een vaargeul uithakken door bossen waterriet, terwijl zijn passagiers zich bukten om de scherpe takken van de girbomen te vermijden. Kerisj werd stamelend gewaarschuwd zijn hand niet in het water te laten bengelen vanwege de bijtvissen, slangen en bloedzuigers en Forollkin pakte de reservepeddel.

Het riviertje eindigde in een stilstaande plas die bezaaid was met waterlelies van een soort die Kerisj nog nooit had gezien. Met een snelle beweging, die de ranke boot heen en weer deed schommelen, boog hij zich voorover om ze te bekijken. De vlamkleurige bloembladen waren kleverig, omdat het gouden hart van elke lelie een wit vocht afscheidde waarin talloze insekten gevangen zaten.

'Ze eten insekten,' merkte Kerisj op terwijl hij zijn handen aan zijn vochtige blauwe kleed afveegde.

'Precies wat je in een land als dit kunt verwachten,' zei Forollkin nors.

'Bloemen hier eten vogels,' zei Dau uit zichzelf. 'Ook mensen.'

Forollkin snoof ongelovig en Kerisj zei streng: 'Mijn geest zegt dat je liegt.'

Hij had er meteen spijt van toen het gezicht van de Friaan vertrok. 'Vergeef, heer? Ik heb het niet gezien, maar ik heb het gehoord, echt waar, heer.'

'Het is je vergeven,' antwoordde Kerisj vriendelijk, zich afvragend wat voor soort straf de man gewend was te krijgen.

'Nu dan,' zei Forollkin kortaf. 'We moeten drie van die planten hebben.'

'Neemt u ze mee, heren? Om weer te planten?'

'Ja,' zei Kerisj. 'In de tuin van de keizer, ver weg in Galkis.'
Dau bleef verbaasd kijken, maar hij had geleerd nooit tegen te spreken. Eerst probeerde hij een van de planten los te trekken, maar nadat hij de boot had volgestopt met ogenschijnlijk eindeloze witte stengels en natte bladeren brak door een harde ruk de plant bij de wortels af. Dau begreep dat hij zou moeten duiken om de wortels uit de modder los te maken en Forollkin beloofde hem een speciale beloning voor dit onaangename karwei. Met zijn mes tussen zijn tanden liet Dau zich uit de boot glijden, zette zich af en ging kopje onder.

Na een minuut of wat dook de Friaan snakkend naar lucht uit het groene water op en wreef de modder uit zijn ogen. Hij hield de wortels van een van de lelies omhoog en Forollkin haalde de plant zorgvuldig binnen, te zamen met kleine zilverige visjes, kluwens wormen en een kleine slang. Kerisj zag de slang vlak bij Forollkins hand kronkelen en zonder erbij na te denken pakte hij hem en gooide hem terug in de poel.

Watertrappend siste Dau verbaasd: 'Niet bijten?'

Kerisj schudde het hoofd.

'Gemene waterslang. Eén beet en je bent dood.'

'Kerisj, denk je dan nooit na bij wat je doet?' vroeg Forollkin kwaad.

'Mijn geest beschermt me,' zei Kerisj wat beverig,

'Nou, help hem dan een beetje door gewoon stil te zitten,' snauwde Forollkin.

Dau dook nog een keer en binnen enkele minuten hadden ze drie gave planten in de boot gepropt. De Friaan klauterde weer in de boot en deed Forollkin voor hoe hij zich moest ontdoen van de bloedzuigers die nu op zijn handen zaten. Vervolgens at hij tot ontzetting van de beide Galkiërs de bloedzuigers op die hij net van zijn eigen huid had getrokken.

'Het is niet goed dat ze mijn bloed hebben,' legde hij opgewekt uit. 'Ik neem het terug.'

Forollkin vroeg de Friaan of hij wist waar ze nog meer zeldzame bloemen konden vinden en Dau adviseerde tot een nabij gelegen meer. 'Amulet sterk, wij veilig, ja?'

Kerisj glimlachte toen de Friaan het veertje uit zijn lendendoek haalde en het kuste.

'Hoe ver is dat meer?' vroeg Forollkin, die tevergeefs probeerde wat meer afstand te krijgen tussen zichzelf en de natte, van insekten wemelende planten die de halve boot vulden.

'Dichtbij, dichtbij,' zei Dau en hij keerde de boot en pagaaide de poel uit naar een van de geulen die haar voedden.

Ze voeren onder de groteske wortels van een groep girbomen door, waardoor hele wolken insekten opstegen uit de rottende vegetatie die het beekje verstikte. Forollkin sloeg ernaar, maar Kerisj zat doodstil en zijn bleke tere huid scheen de bloedzuigers niet aan te trekken.

Het water werd heel ondiep. De Friaan liet zich uit de boot glijden en waadde tot aan zijn knieën door de modder om hem door een muur van rietstengels te duwen. Forollkin had hem willen helpen maar Dau vroeg hem te blijven waar hij was omdat hij vreesde dat de Galkiër het lichte vaartuigje zou doen omslaan. Daarop kroop Forollkin naar voren en hakte op het riet in dat hun de weg versperde. Weldra waren ze weer in open water en Dau klom weer in de boot.

Forollkin ging rechtop zitten om naar het brede groene meer te kijken met zijn drijvende eilanden van dichte vegetatie. Het was doodstil en er was geen vogel te zien.

Voor één van de Galkiërs een opmerking kon maken had Dau een peddel gepakt en de boot teruggeroeid naar de beschutting van de rietbosjes.

'Wat in Zeldins...?' begon Forollkin, maar Dau legde een vuile vinger op zijn lippen en knikte naar het meer. Geïntrigeerd gluurden Kerisj en Forollkin door het riet. Het groene watervlak rimpelde zich soms even, maar verder leek het meer bijna onnatuurlijk stil.

Toen schoot er uit een grauwe lucht een ko-lunga omlaag, een grote visetende vogel met de kleur van donderwolken, doorspekt met bliksemstralen. De ko-lunga dook naar een veelbelovende rimpel en Kerisj schreeuwde het haast uit van schrik.

Een enorme kop rees uit het water op. Hij had maar één oog in het midden van het geschubde voorhoofd, maar dat oog had de ko-lunga gezien. De grote kaken gingen open en ontblootten een dubbele rij spitse tanden. Te laat probeerde de vogel nog weg te vliegen. De kaken sloten zich om zijn poten en de kop verdween weer onder water, slechts een kring van rimpels en een paar bloederige veren achterlatend.

'Or-gar-gee,' fluisterde de Friaan terwijl hij zich uit de boot liet glijden en hem zo geruisloos als hij kon terugduwde door het riet.

Toen ze de veilige geul weer hadden bereikt, barstte Dau in opgewonden gebabbel los. 'Or-gar-gee. Als het warm is, slaapt hij, dan meester doodmaken. De meester zal blij zijn.'

Ibrogdiss was inderdaad in zijn nopjes. De slechte voortekens werden haastig vergeten en zodra de lelies in hoge potten in het ruim waren gestouwd, begonnen de voorbereidselen voor de jacht.

De koopman-jager legde zijn hand op Forollkins schouder.

‘U hebt de waterslang gevonden, het is uw recht de eerste speer te werpen.’

Verrast begon Forollkin iets te mompelen van dat recht af te zien toen een krassende stem achter hem zei: ‘Mijn heer is nog een onervaren jongeman en niet gewend aan zulke staaltjes van kracht en moed.’

Gidjabolgo was eindelijk wakker. ‘Het zou niet juist zijn hem naar zijn eigen ondergang te lokken. U begrijpt, heer koopman, dat het het privilege van een toegewijde knecht is om te zeggen wat zijn meester alleen maar denkt.’

‘En om flauwe grappen te debiteren zonder er een pak slaag voor te krijgen,’ zei Kerisj haastig. ‘Mijn broer is een vermaard jager en krijger, maar we zijn verplicht de opdracht van de keizer uit te voeren...’

Al onder het spreken wist hij door de trek om zijn broers mond dat het vergeefse moeite was.

‘De keizer zal het mij wel willen vergeven,’ zei Forollkin. ‘Ik zal graag aan jullie jacht deelnemen.’

‘Goed, goed,’ mompelde Ibrogdiss, die met grote belangstelling de scherpe woordenwisseling tussen meesters en knecht had gevolgd.

‘Ongetwijfeld zal uw geest u beschermen. Ik zal u een speer lenen en u moet Friaanse kleren aantrekken, want anders zal het oog van de or-gar-gee uw scharlaken misschien tussen het riet zien.’

De koopman-jager spoedde zich naar zijn hut benedendeks en Forollkin glimlachte zuur tegen zijn halfbroer. ‘Heb je een sterke amulet voor me?’

‘De waterslangen kunnen nooit zo gevaarlijk zijn als ze er uitzien,’ zei Kerisj hoopvol. ‘Tenslotte heeft Ibrogdiss al menige jacht geleid en wel met zoveel succes dat hij nu met een onderkin en grijze strepen in zijn groene haar kan pronken.’

‘Misschien vindt hij altijd iemand anders die de eerste klap toedient,’ merkte Gidjabolgo op.

Forollkin viel boos tegen hem uit: ‘Wil jij nu alsjeblieft je mond houden.’

‘Dat is dan de eerste keer dat ik voor mijn diensten een alsjeblieft van u krijg,’ zei Gidjabolgo. ‘Mijn meesters moeten het me maar vergeven als ik de rol van knecht niet zo overtuigend speel. Moet ik meer kruipen, nederiger doen? Moet ik de grond onder uw voeten kussen, of in dit geval het dek of de rivierzwadder...’

‘Blijf alleen uit onze buurt,’ gromde Forollkin.

‘Uitstekend, heer, ik zal u niet langer op uw wenken bedienen, toezicht op uw bezittingen houden als u die onbewaakt achterlaat...'

Hij zweeg toen een Friaanse slaaf naar hen toekwam met een mosgroene kilt en mantel voor Forollkin. De Galkiërs namen de kledingstukken in ontvangst en trokken zich terug in hun tent.

'Wat had die laatste opmerking te betekenen?' vroeg Forollkin. Kerisj knielde op de kussens naast zijn reiskist. 'Hij is opengemaakt,' zei hij.

'Is er iets weg?' vroeg Forollkin, terwijl zijn halfbroer in hun kleren en juwelen rommelde.

Kerisj ging op zijn hielen zitten. 'Niets. Ik veronderstel dat Gidjabolgo alleen maar deed of hij sliep en iemand onze tent zag binnengaan. Denk je dat Ibrogdiss aan ons verhaal twijfelt?'

'Ik kan niet zeggen dat ik het hem kwalijk zou nemen,' zei Forollkin. 'Maar er zit weinig in je kist dat hem nog achterdochtiger kan maken.'

'Mijn zeloka-sieraden wel. Misschien weet hij dat alleen de Godgeborenen die mogen dragen.'

Forollkin begon zijn tuniek los te maken. 'Als hij zoveel wist zou hij ook weten hoe de Godgeborenen er uitzien en jouw ogen zullen je altijd verraden.'

'Misschien weet hij het ook.' Kerisj lachte ondeugend. 'Je kon maar beter een hint geven dat onze moeder hoog bezoek ontving.'

'Doe dat zelf maar,' gromde Forollkin. 'Jij kunt beter liegen.'

Kerisj hielp zijn broer zich in de lange Friaanse mantel te hullen en zijn haar op te binden. Toen ze weer in de felle middagzon kwamen, stond Ibrogdiss boven zijn speren te neuriën. Hij overhandigde Forollkin een lang wapen met een bronzen schacht met de woorden: 'Dit is I-giya, mijn mooiste speer. Ze heeft negen or-gar-gees gedood. U moet haar tot de uwe maken door haar met uw bloed te voeden.'

Zich heel dwaas voelend krabde Forollkin in zijn hand en wreef een paar druppels van zijn bloed op het gladde brons. Vervolgens werd hem een kom met rivierslijk gebracht en de koopman-jager stond erop dat Forollkin er zijn gezicht en lichaam mee insmeerde.

'Dan zal de or-gar-gee u niet ruiken en wij zullen zo dichtbij kunnen komen dat we hem kunnen doden.'

Met grote tegenzin liet Forollkin zich met de stinkende modder bekliederen terwijl Ibrogdiss zich uitkleedde tot op zijn kilt en een paar lievelingsamuletten.

Zolang ze de koopman-jager ingebakerd in zijn groene gewaden hadden gezien hadden de Galkiërs gedacht dat hij dik was, maar nu zagen ze dat zijn geoliede lichaam heel gespierd en sterk was. Het was net of het niet hoorde bij zijn mollige gladde gezicht.

Als laatste voorbereiding werden de speren van de jagers in een borrelende pot met een gele vloeistof gedoopt.

'Dat is vergif, sterk en snel,' zei Ibrogdiss. 'Als u het oog van de or-gar-gee doorboort zal dit zijn doodsstrijd verhaasten. Denk erom dat u op het oog moet mikken. De rest van de huid is te dik en krab u niet meer met uw speer want dan sterft u eerder dan uw prooi. Bent u gereed?'

Forollkin knikte, maar Kerisj holde plotseling weer naar hun tent en kwam terug met iets glimmends dat hij half in zijn lange handen verborg.

'Het geschenk van de hogepriester,' zei hij in het Galkisch. 'Hij beloofde dat het je nooit in de steek zou laten.'

Forollkin nam de dolk aan en stopte hem in de band van zijn kilt.

Weer werd de rieten boot te water gelaten, met Dau die uitverkoren was om de jagers te roeien. Kerisj zorgde voor oponthoud door per se mee te willen gaan. Na een korte woordenwisseling in het Galkisch kwam Ibrogdiss tussenbeide met de suggestie dat Kerisj het gevecht veilig kon gadeslaan vanaf een nabijgelegen heuveltje. Daarin stemde hij toe en een slaaf werd aangewezen om hem erheen te brengen. 'En ik zal mijn meester vanzelfsprekend vergezellen,' zei Gidjabolgo.

Kerisj piekerde nog steeds over 's mans drijfveer toen ze een half uur later een met girbomen begroeid heuveltje bereikten. Ze waren langs een kronkelige en ongemakkelijke route gekomen door hoog gras dat als een mes in een onvoorzichtige hand sneed. De Friaan maakte Kerisj en Gidjabolgo met gebaren duidelijk dat ze in een van de knoestige bomen moesten klimmen.

De jonge Galkiër klauterde naar een van de breedste takken. Hijgend en klagend hees Gidjabolgo de Forgiet zijn zware lichaam op een lagere stekeligere tak en de Friaanse slaaf hurkte onder de wortels zodat ze hem niet konden zien of ruiken.

Het meer lag daar als een bronzen spiegel die tussen het riet was gevallen. Een paar brutalere vogels waren teruggekeerd, maar er heerste een onheilspellende stilte. De girbomen groeiden op het enige heuveltje van enige omvang voor zover het oog reikte. Kerisj kon het schip zien dat nog steeds in het midden van de rivier voor anker lag en een lichte beweging in het riet verried de nadering van de jagers.

Gidjabolgo zat op zijn tak te draaien en te mopperen. Waarom had hij meegewild? Om Forollkin te zien sterven? Als dat zo is zal het graf van mijn broer een bloedoffer ontvangen, beloofde Kerisj grimmig.

'Kunt u ze zien, mijn verziende meester?' informeerde Gidjabolgo zoetsappig.

'Ze zijn nog niet door het riet heen. Praat wat zachter. We moeten de or-gar-gee niet wakker maken.'

'Ik ben niet bang,' zei Gidjabolgo. 'Hebt u ons niet beloofd dat de Zachtmoedige God ons zal beschermen? Naar alles wat ik heb gehoord heeft hij u allerdoeltreffendst beschermd tegen de Rovers van Fangmere, hoewel anderen niet zo gelukkig zijn geweest.'

Kerisj verbeet zijn woede toen de boeg van Forollkins boot uit het riet kwam. 'Je hebt gelijk,' zei hij ijzig. 'Ik kan niet bezweren dat de Zachtmoedige God mensen helpt die niet in zachtmoedigheid geloven.'

'Of in goden,' antwoordde Gidjabolgo luchtig.

Hurkend in de rieten boot herhaalde Forollkin de instructies van Ibrogdiss in zichzelf. De or-gar-gee sliep nu, maar ze moesten heel stil naderbij komen omdat het gehoor van het beest scherp was. Eenmaal wakker zou het beschermende lid zich terugtrekken van het grote oog dat in elke richting tegelijk kon kijken. Dan konden, als ze dichtbij genoeg waren, hun speren via het oog de hersens van de or-gar-gee raken. Als ze hun doel misten was het gevaar groot en zelfs als ze het oog doorboorden was de doodsstrijd van een waterslang lang en verschrikkelijk.

Ze hadden de rand van het meer bereikt. Ibrogdiss beduidde hen doodstil te zijn en trok het riet uiteen. Na een ogenblik wenkte hij Forollkin die behoedzaam naar voren kroop. Hij zag iets zwarts dat net boven de waterspiegel uitstak, de neusgaten van de or-gar-gee, en zijn ademhaling rimpelde het water. Ibrogdiss berekende waar de rest van het grote lijf zou kunnen liggen en hoe diep, en gaf Dau een teken langs de rand van het meer te varen.

Toen ze in open water kwamen voelde Forollkin een huivering van verwachting. Hij was bang, maar prettig bang. Het zou een grote heldendaad zijn een or-gar-gee te doden, iets om zich op te beroemen als ze weer in Galkis waren.

Kerisj en Gidjabolgo zagen de boot naar de slapende or-gargee glijden. De Forgiet was buitengewoon slecht op zijn gemak en hij had spijt van de opwelling die hem hier had gebracht. De tak waarop hij zat, prikte in allerlei gevoelige plekken, uit de takken van de girboom droop water en slijmig vocht op zijn hoofd en een colonne insekten die er gemeen uitzagen krabbelde geduldig langs de stam naar hem toe. Maar het was een troost voor hem Kerisj-lo-Taan te kunnen gadeslaan, terwijl de jonge Galkiër zijn bestaan vergat.

De prins zat even kaarsrecht als altijd en hield het purperen juweel vast dat hij altijd droeg. De kap van zijn tuniek verborg het zwarte en zilveren haar en wierp een schaduw over zijn fijn besneden gezicht, maar zijn ogen fonkelden meer dan ooit. Gidjabolgo had opeens het gevoel dat die fonkeling afkomstig was van een licht achter die ogen en dat de inspanning om te voorschijn te komen explosies van kleur teweegbracht, violet en goud en zwart...

Met vurige concentratie prevelde Kerisj-lo-Taan het ene gebed na het andere voor de veiligheid van zijn broer. Als altijd wanneer hij bad bleef een deel van hem afzijdig, bijna spottend en dat deel benutte hij om zich de situatie van zijn broer voor te stellen. Hij herinnerde zich hoe het was in de ondiepe boot te zitten die bij elke beweging schommelde.

'Zeldin, hoor mij aan, bescherm mijn broer.'

Hij herinnerde zich de stank van de rivierzwadder, het vage gezoem van insekten overal en de onheilspellende rimpels op de groene waterspiegel.

'Imarko, Vrouwe van de Hemel, bescherm mijn broer.'

Hij kon haast de ruige stof van Ibrogdiss' mantel voelen, de opdrogende modder die op zijn wangen kleefde, de schacht van de speer die uitgleed in zijn klamme handen.

'Zeldin, laat hem overwinnen.'

Zijn blik werd onscherp, het meer in de verte versmolt met een rietkraag, met de zweetdruppels die langs de rug van Ibrogdiss dropen, met de flits van de dolk bij zijn middel.

Forollkin begon zich merkwaardig zelfverzekerd te voelen. Dau zat ineengedoken over zijn riem een gebed te prevelen. Ibrogdiss was zo gespannen als een boog en zijn mollige handen streelden de schacht van zijn speer. Ze waren nu vlakbij. De koopman-jager beduidde Forollkin zijn post in te nemen. De Galkiër knielde op één knie, hield de speer in zijn rechterhand en zette zich met de linker tegen de boot af. Ibrogdiss hurkte achter hem , klaar om de tweede speer te werpen. Dau stak zijn riem amper in het water terwijl hij hen voortpagaaide. Ze konden de snuit van de or-gar-gee duidelijk zien en het water om hen heen wielde door de adem van het monster. De boot gleed tot op een afstand van een centimeter of dertig naar het dier toe.

Ibrogdiss wees naar de plek waar het oog moest zijn en riep

opeens luidkeels Thith-nek aan, de geest van de jagers. Er volgden enkele doodstille, martelende seconden en toen werd het meer een draaikolk. De reusachtige kop rees op uit het water. De kaken gaapten in Forollkins gezicht. Het geschubde ooglid begon zich van het kwetsbare oog terug te trekken.

In paniek wierp Forollkin zijn speer, te snel en te onbeheerst. Het wapen raakte de snuit van het beest zonder ook maar zijn gerimpelde huid te schampen. De or-gar-gee brulde van woede, ontrolde zijn lange lijf en deed een uitval naar de rieten boot.

Toen de boot omsloeg, dook Dau in het water en zwom naar het riet en Ibrogdiss wierp zijn speer. Die miste het oog en de koopman-jager zonk weg in een grote golf. Forollkin werd in de lucht geworpen en kwam niet in het water terecht, maar schrijlings op de brede kop van de slang.

Hij zag dat hij naast het grote oog lag dat glansde met een woeste intelligentie. Zijn voeten bengelden op een paar centimeter van de happende kaken. De or-gar-gee begon zijn kop te schudden in een poging zijn last van zich af te schudden zodat hij die kon pakken en vermorzelen.

Forollkin wist dat hij maar een paar ogenblikken had voor het de waterslang ook zou lukken, want hij kon nergens een houvast vinden op de glibberige huid van het ondier. Hij was de dolk van de hogepriester vergeten, maar Kerisj niet. Opeens grepen zijn vingers het cirge gevest en hij stak het lemmet diep in het oog van het monster.

De or-gar-gee krijste en kronkelde zich en het meer kolkte. Forollkin werd van de kop geworpen en de hemel draaide om hem heen voor hij in de modderige golven terechtkwam. Nadat hij een paar keer stinkend meerwater had binnengekregen dacht hij eraan zijn mond te sluiten en te zwemmen.

Met inspanning van al zijn krachten zwom hij naar de oppervlakte en iemand greep hem bij de schouders en duwde hem tegen iets dat dreef. Forollkin opende zijn bemodderde ogen en zag dat hij en de beide Frianen zich aan de omgeslagen boot vasthielden.

In zijn doodsstrijd rolde de or-gar-gee van hen weg en verpletterde het riet dat de overkant van het meer omzoomde. Forollkin keek naar het ondier en wachtte dof op het moment dat de dodelijke lussen weer in zijn buurt zouden komen, maar geleidelijk werden de stuiptrekkingen van het dier minder en het meer begon weer rustig te worden. De or-gar-gee was dood.

Vijf minuten later, nog druipnat en bleek van de schrik baande Forollkin zich een weg door het riet naar het heuveltje met de girbomen. Hij werd begroet door het beangstigende tafereel van Gidjabolgo en de Friaanse slaaf die bij zijn bewusteloze broer knielden. Forollkin duwde hen opzij.

'Wat is er gebeurd?'

'Hij viel flauw van de spanning,' zei de Forgiet, 'vlak nadat u dat beest had gedood.'

Forollkin schudde zijn broer getergd heen en weer en Kerisj opende zijn ogen en prevelde: 'Ik herinnerde me dat wij... Forollkin, ben jij er heelhuids afgekomen?'

'Och, ik heb niets, nauwelijks een blauwe plek, maar jou kan ik geen ogenblik alleen laten, hè? Kerisj, wat mankeert je? Doet je hoofd pijn? Heb je het gestoten toen je viel?'

'Ik neem aan van wel,' Kerisj ging langzaam rechtop zitten. 'Ik voel me zo moe. Forollkin...' Hij lachte plotseling. 'Ik ben blij dat je het beest hebt gedood, ook al sta je me nu helemaal met modder te bedruipen.'

De rest van de dag was de bemanning van de *Groene Jager* koortsachtig aan het werk, duikend om touwen aan de or-gar-gee vast te maken en zijn reusachtige lijf naar de dichtstbijzijnde vaste grond te slepen. Daar hakten ze de betrekkelijk zachte onderbuik open, trokken de waardevolle huid eraf en sneden het vlees in stukken om te worden gerookt. Toen het avond werd was het feest en de gewone kost van geroosterde vis en taai moerasgevogelte werd vervangen door porties gebraden or-gar-gee-vlees dat droop van het vet en stonk als rivierzwadder, en de ene beker vurige girgan na de andere.

Er werden lampen aan de tuigage gehangen en wierookbranders werden aangestoken om de wolken insekten te verdrijven die zich om het enorme karkas verzamelden. Voor deze keer aten de Galkiërs aan dek met Ibrogdiss en zijn schepelingen, zittend op een stapel zachte kussens.

Forollkin zwolg in een zee van zelfvoldaanheid. Aangevuurd door de girgan blies hij zijn prestatie op tot die gelijk stond aan de daden van helden uit de oudheid. Hardnekkig kauwend op een bijna niet klein te krijgen stuk or-gar-gee-spek keek Kerisj toe hoe zijn broer voor de derde keer de zegevierende dolk onder de neus van Ibrogdiss heen en weer zwaaide.

'Het geschenk van de hogepriester van Galkis. Hij had me gezegd dat deze dolk altijd zou doden.'

Ibrogdiss begon vaag geïnteresseerd te kijken. Het doden van het ondier was nauwelijks meer dan een gelukkig toeval geweest en het gepoch van de Galkiër begon de koopman-jager te vervelen, maar het kon best de moeite waard zijn zelf zo'n toverwapen te bezitten. Hij pakte de dolk en bekeek hem nauwkeurig.

'Is die hogepriester machtig? Zal de dolk altijd doden?'

'Alleen in de hand van mijn meester.' Gidjabolgo sprak vanuit de schaduwen, waar hij zat met zijn eigen bord or-gar-gee en een kruik girgan. 'Een geschenk dat men niet mag weggeven is dubbel edelmoedig.'

Teleurgesteld gaf Ibrogdiss de dolk terug. 'Ik begrijp het. Het is hetzelfde met mijn speer. In mijn handen heeft die de kracht van Log-ol-ben, want ik heb mijn mooiste concubine aan de sjamaan van de god geofferd in ruil voor zijn macht.'

'Je concubine?'

Ibrogdiss legde Forollkins verbazing verkeerd uit en knipoogde tegen hem. 'Ja, inderdaad een offer, want ze was heel mooi, maar ze praatte te veel...'

Kerisj spoelde de ranzige smaak van de or-gar-gee weg met een mondvol girgan en vroeg: 'Wat voor een god is deze Log-ol-ben?'

'Een machtige geest, de jager voor wie de or-gar-gees wormen zijn die hij onder zijn hiel vertrapt.'

'Is hij de grootste van uw Friaanse goden?'

'Sommigen zouden zeggen dat Ensj-arkis de Donderaar groter is,' antwoordde Ibrogdiss alsof hij de respectieve verdiensten van scheepstimmerlieden of wijngaarden besprak. 'Of de Driehoofdige, wiens naam niet uitgesproken mag worden; of Nar-Irk, de heer van de ziekten, de verdelger van de zwakken; of Lig-a-loda, de lachende God, de heer van de gauza, maar Log-ol-ben beschermt me op deze reis.'

'En als de reis onfortuinlijk blijkt te zijn?' vroeg Kerisj.

Ibrogdiss haalde de schouders op. 'Dan zal ik offers aan Lig-a-loda brengen en op de sjamaan van Log-ol-ben spuwen.'

De koopman-jager drong zijn passagiers meer vlees op, maar ze weigerden beiden. Ibrogdiss sneed nog een plak voor zichzelf, zonder zich te bekommeren om het vet dat op zijn mantel droop en zei: 'Vertel mij, jonge heren, over de goden van uw land. Zijn het er veel? Zijn ze wild en moeilijk te behagen?'

'In Galkis hebben wij slechts één god en zijn naam is Zeldin de Zachtmoedige.' Het was Kerisj die antwoordde. 'Hij was en is aan gene zijde van Zindar, en toch verscheen hij in Galkis in de gedaante van een man en beminde vrouwe Imarko en treurde om haar dood. Hun kinderen waren de Godgeborenen die Galkis regeerden als de spiegels van de macht en wijsheid van Zeldin.'

'Regeerden? Zijn ze niet nog altijd heren van Galkis?' vroeg Ibrogdiss.

Kerisj keek in zijn beker en roerde met zijn pink in de girgan vóór die hem zijn spiegelbeeld kon tonen.

'Het bloed is zwak, de macht neemt af en de wijsheid is verdwenen. Behalve in enkelen die nog steeds de wegen der liefde bewandelen.'

'Liefde?' Ibrogdiss grijnsde. 'Is deze Zeldin de god van minnaars?'

Forollkin lachte. 'Niet zoals jij het bedoelt, Ibrogdiss. Het is onze godin Imarko die geliefden zegent.'

'Een godin?' De koopman-jager was ongelovig. 'Een god die een vrouw is? Hoe kan uw Zeldin dat verdragen? Waarom velt hij haar niet neer? Ik begrijp nu waarom u hem zachtmoedig noemt en hem niet vreest.'

'U vergist zich,' zei Kerisj ernstig. 'Zijn zachtmoedigheid wordt zeer gevreesd.'

Er volgde een lange stilte en toen schonk Forollkin zich een vijfde beker girgan in.

'Kerisj, we zijn zo stil geworden dat ik kan horen hoe de modder zich vormt. Zing wat voor ons.'

Gidjabolgo werd weggestuurd om de zildar uit de tent van de Galkiërs te halen.

Weldra zat Kerisj met gekruiste benen het instrument te stemmen. Na een minuut te hebben nagedacht en nadat Ibrogdiss stilte van al zijn slaven had bevolen en gekregen, tokkelde Kerisj een levendige melodie en improviseerde een overwinningslied. Het lied was buitensporig in zijn lof voor Forollkin en complimenteus voor de koopman-jager. Het overdreef de afmetingen van het monster en verdoezelde het gepruts bij het doden.

Forollkin was zeer tevreden, maar Kerisj niet. Hij ging meteen over op *Zeldins Smart*, het oude lied dat verhaalde hoe de zachtmoedige god leed toen hij naar zijn stervende bruid keek. De woorden waren in Hooggalkisch en de hoge zuivere stem van Kerisj gaf er weinig kleur aan, maar toch begrepen de Frianen hoe aangrijpend ze waren.

Toen het lied ten einde was, zag Kerisj geschokt dat er tranen op de gladde wangen van Ibrogdiss lagen. Hij wilde zijn zildar al neerleggen, maar de koopman-jager trok aan zijn mouw.

'Speel verder, jonge heer, zing voor mij van uw eigen land, toon mij Galkis.'

Ditmaal ging Kerisj in het Zindars over en hij zong *De Ballade van de Negen Steden*. Van Galkis zelf zong Kerisj-lo-Taan, Galkis met zijn drie grote muren en de legendarische tuinen van de keizer; van Tryfis, omringd door bergen van lapis; en het heilige Hildimarn en zijn negentig tempels. Hij zong van Montralakon, bewaakt door stenen paarden; van Yxis waar de zilveren carillons dag en nacht in de wind speelden; en Ver Tryfarn aan de oostelijkste rand van het rijk. Hij zong van Joze, de

Dromende Stad; Viroc, het machtige bolwerk van Jenoza en van Efaan met zijn koperen muren, de grootste haven aan de purperen Zee van Az.

Ibrogdiss luisterde en zijn geest zwierf samen met Kerisj' lied van stad naar stad. Toen de heldere stem verstomde vroeg de koopman-jager om meer. Kerisj speelde een akkoord, maar Gidjabolgo's stem verbrak de aandachtige stilte.

'Vergeving, waarde koopman, maar mijn jonge meester is stellig vermoeid. Laat zijn nederige dienaar in zijn plaats voor u spelen.'

Ibrogdiss' gezicht kreeg lachrimpels. 'Wat, jij lelijkerd, kun jij zingen? Je ziet eruit als een moeraskwaker en hun stemmen zijn mij niet welluidend genoeg.'

'U zult over mijn welluidendheid oordelen, gij meesters allemaal. Laat mij een lied voor u zingen uit de tempels van Forgin. Wil mijn heer mijn onwaardige vingers toestaan de snaren van zijn zildar aan te raken?'

Kerisj was te verbluft door de woede in Gidjabolgo's gezicht om het hem te weigeren.

De Forgiet boog zich over het tere instrument en spreidde zijn brede vingers over de snaren. Eerst wat hakkelend begon hij te spelen en dan te zingen. Tot ieders verrassing was zijn stem even melodieus en zuiver als die van Kerisj. Dat zo'n geluid uit dat gezicht van Gidjabolgo kon komen leek bijna lasterlijk. Het duurde een hele poos voor Kerisj zich ertoe kon brengen aandacht aan de woorden te besteden.

Geloofd zij de glimlachende God van de sterken die de wreden bejubelt en de lankmoedigen vermoordt. Geloofd zij de God die lacht om de slachting van kinderen en de gebeden der zwakken. Geloofd zij de Wijze die weet dat de wereld afgevallen fruit van een kromme boom is en mensen de maden die kruipen...

'Nee!' Kerisj rukte zijn zildar uit de handen van de Forgiet. 'Leugenaar, jij bezoedelt alles wat je aanraakt.'

Hij beefde van woede, maar Gidjabolgo antwoordde kalm: 'Bewijs dat ik een leugenaar ben.'

Uit zijn slaperige tevredenheid wakkergeschud zei Forollkin haastig: 'Wel, ik heb voor vanavond genoeg muziek gehoord. Ik ga naar bed.'

'Morgen zult u weer zingen, jonge heer,' zei Ibrogdiss. 'Maar jij niet, lelijkerd; je stem is mooi, maar je dromen zijn duister.'

2
Het Boek der Keizers: *Kronieken*

En twee van de prinsen kwamen bij hem uit de tempel, na gebeden en gevast te hebben, maar de Derde Prins had gedronken en feestgevierd in zijn eigen vertrekken. De twee oudere prinsen berispten hun broer, maar Jezreen-lo-Kaasj sprak tot hen: 'Bij god of bij wijnglas zochten jullie alle drie troost en de genade van vergetelheid. Wat gaf een van jullie ervoor terug?' Toen zwegen zij.

De volgende ochtend had Forollkin een monsterachtige hoofdpijn. Hij weigerde alles wat Kerisj aanbood, ontbijt, koele lappen voor zijn voorhoofd of gewoon wat sympathie en ten slotte vond hij de kracht een kussen naar zijn al te medelevende broer te gooien. Lachend deed Kerisj een vuurrode hoofdband om zijn haar, trok een eenvoudig blauw kleed aan en verliet de klamme hitte van hun tent voor de betrekkelijke koelte van het dek.

Een van de bemanningsleden bracht hem een kom onsmakelijke soep en een plat Friaans brood dat de smaak en de substantie had van een goed doorbakken baksteen. Kerisj bedankte hem met de paar woorden Friaans die hij op hun reis had opgepikt, maar een antwoord bleef uit.

Hij keek naar hem toen de man weer verder ging met het boeten van netten en vroeg zich af hoe het leven van een Friaanse slaaf zou zijn. Ibrogdiss scheen zijn bemanning goed te behandelen, maar bij de gevaren van de moeraslanden was dat misschien meer een kwestie van gezond verstand dan van gevoel.

Ibrogdiss zelf was naar het dichtstbij gelegen dorp gegaan om met het dorpshoofd te spreken over het prepareren van de or-gar-gee-huid en de verkoop van het merendeel van het vlees. Gidjabolgo was nergens te bekennen. Na een paar slokjes van de soep zag Kerisj van zijn ontbijt af en besloot dat hij enige interesse zou moeten veinzen voor de bloemen en vogels die in het ruim waren opgeslagen. Hij ging door het luik de ladder af en liep op de tast langs de banken van de roeiers terwijl zijn ogen zich aanpasten aan het halfduister.

Tegenover de hutten in het achterschip was een ruimte gereserveerd voor houten kooien en hoge aardewerk potten om er alles wat de Galkiërs wilden verzamelen in te bewaren. Over een van die potten boog zich Gidjabolgo en streelde de vlamkleurige lelies, waarbij hij zachtjes prevelde.

Kerisj voelde dadelijk dat hij weg moest gaan voordat Gidjabolgo hem zag. Maar hij liep met veel lawaai door.

'Nee maar, Gidjabolgo, ik wist niet dat jij zo dol op bloemen was.'

De Forgiet trok zijn hand van de lelies weg alsof ze hem hadden gebeten, maar even later zei hij glad: 'Ik ben alleen op zoek naar informatie om mijn meesters beter te kunnen helpen, aangezien heer Forollkin een orchidee niet van een brandnetel schijnt te kunnen onderscheiden en de krankzinnige keizer zijn tuin moet hebben.'

'De keizer van Galkis is niet gek.'

'Nee?' Gidjabolgo beproefde de tralies van de houten kooien en keek Kerisj niet aan terwijl hij sprak. 'In Forgin zeggen ze dat hij gek geworden is door de dood van zijn koningin uit Erandatsjoe en in zijn tuin bij haar lijk zit te grienen terwijl het rijk ten onder gaat. Ongetwijfeld weet mijn meester of het waar is.'

'*Wil je haar zien*?'

'*Nee, alstublieft niet*!'

Kerisj wilde zich afmaken van Gidjabolgo en de herinnering aan zijn vader die knielde bij een witte sarcofaag.

'Hij is niet gek,' herhaalde Kerisj toonloos en Gidjabolgo glimlachte terwijl hij aan een andere tralie trok tot het broze hout brak.

'Mijn meester weet het en mijn meester zou er goed aan doen die wetenschap beter te verbergen.'

'Denk je dat Ibrogdiss ons wantrouwt?' vroeg Kerisj.

'U wel. Hij is bijna even bang voor u als zijn slappelingen van slaven en vraagt zich af waarom de oudste broer de jongste altijd moet gehoorzamen.'

'Maar dat is niet zo. Ik richt mij naar Forollkin,' protesteerde Kerisj oprecht verbaasd.

'Als het in uw plannen past. U bent er te zeer aan gewend bevelen te geven om te merken dat u zich nooit laat bevelen,' antwoordde Gidjabolgo. 'Ik denk niet dat Ibrogdiss al te verbaasd zou zijn als ik hem vertelde dat u geen onbeduidend edelmannetje bent, als ik hem vertelde dat hij een prins der Godgeborenen in zijn macht heeft, het lievelingetje van de keizer... Hoe hoog zou uw losgeld zijn, schat u?'

'Maar je zult het hem niet vertellen,' zei prins Kerisj-lo-Taan, 'want als onze reis afgebroken wordt, wordt de jouwe het ook. Ik weet niet waarom jij naar de tovenaar van Tir-Zulmar wilt en jij kent onze reden niet. Laten we het daar maar bij laten en proberen beleefd tegen elkaar te zijn tot we het genoegen smaken te scheiden.'

'Of het genoegen van een gemeenschappelijk graf als Ibrogdiss ons de keel afsnijdt,' gromde Gidjabolgo.

'Als ons iets overkomt zal hij de andere helft van zijn geld niet van Engis' agent in Pin-Drouth krijgen.'

'Ja, maar weegt dat geld op tegen de schatten die u bij u heeft? Denk daar aan, mijn gebieder, de volgende keer dat onze koopman u uitnodigt om mee te gaan jagen.'

Gidjabolgo schuifelde weg in de duisternis van het ruim, door de uitdrukking op het gezicht van Kerisj overtuigd dat de klap raak was geweest.

Kerisj dacht zorgelijk aan zijn gouden en irivanee juwelen, de munten die verstopt waren in de zwaardriem van Forollkin, zijn dierbare zelspel, de purperen edelsteen en de smaragdring die Ibrogdiss hem dagelijks zag dragen. Bij elkaar zouden ze de koopman-jager best tot verraad kunnen verleiden. Hij kon slechts dankbaar zijn dat Gidjabolgo's tegenwoordigheid van geest de dolk van de hogepriester van het lijstje had verwijderd.

Wat konden ze doen? Middenin de Friaanse moerassen was er geen plaats waarheen ze konden vluchten en welke Friaan konden ze vertrouwen?

Radeloos liep Kerisj rond tussen de potten en kooien. Toen hij zich over de lelies boog merkte hij dat ze een geur schenen te hebben gekregen die ze de dag tevoren niet hadden gehad. Een flauwe weeë lucht verspreidde zich in het ruim, maar toen Kerisj een van de lelies bij zijn neus hield werd de geur minder. Hij richtte zich op en slenterde met een weifelende blik van de ene pot naar de andere. Geen enkele scheen de bron van de zware geur te zijn.

Ze was het zwaarst bij de deur van Ibrogdiss' hut. Nieuwsgierig probeerde Kerisj de kruk, maar de deur was op slot. Het raadsel voorlopig van zich afzettend ging Kerisj terug aan dek om te zien of Forollkin al zó ver was opgeknapt dat hij slecht nieuws kon verwerken.

De volgende twee dagen werd de *Groene Jager* met krachtige slagen stroomopwaarts geroeid en er was geen gelegenheid voor de twee Galkiërs om hun verzameling uit te breiden. Ze brachten veel tijd door in hun smoorhete tent, vruchteloos beraadslagend over een eventueel verraad van Ibrogdiss. Voor de rest verloor Forollkin eindeloze partijtjes zel en liep op het dek te ijsberen, het uitzicht op riet en modder beu, terwijl Kerisj in het Boek der Keizers las en Gidjabolgo scheen te slapen.

De derde dag wierp de *Groene Jager* op het middaguur in het midden van de rivier het anker uit en toen de ergste hitte voorbij was gingen Kerisj en Forollkin er met Dau op uit om een girbos te onderzoeken.

Rondscharrelend op bijna vaste grond tussen de enorme, fantastisch verwrongen girwortels vingen ze enige groene en rode hagedissen en verzamelden zeldzame mossoorten. Dau noemde alles wat ze zagen bij naam en Forollkin vroeg hem of hij in een moerasdorp was geboren. De Friaan schudde zijn kaalgeschoren hoofd en legde in zijn aarzelende Zindars uit dat zijn moeder uit de noordelijke stad Lokrim kwam.

'En je vader?'

Dau keek hem wezenloos aan. 'De meester komt uit Pin-Drouth, maar zijn huis staat ook in Lokrim.'

Het was Kerisj die begreep wat hij bedoelde.

'Ibrogdiss is je vader?'

Dau knikte. Er was niets dat hem van een van de andere slaven onderscheidde, behalve zijn Zindars. Hij droeg een eenvoudig linnen rokje, zijn lichaam was mager en de sporen van vroegere zweepslagen waren duidelijk op zijn rug te zien.

'De zoon van een concubine,' dacht Forollkin dof. 'Ik zou Imarko moeten danken voor de edelmoedige onverschilligheid van mijn vader.'

'Is Ibrogdiss een goede meester voor je?' vroeg Kerisj vriendelijk.

'Hij is...' Dau zocht naar het woord, '... rechtvaardig, hoewel, als de dromen boos zijn...' Hij bleef steken, alsof hij opeens besefte dat hij te veel had gezegd.

'Dromen?'

'Hij is rechtvaardig, heer,' herhaalde Dau. 'Willen de heren vogels? Ik zal vallen zetten.'

Forollkin respecteerde de terughoudendheid van de Friaan en hielp hem een valnet vast te maken tussen twee girwortels en Kerisj liep dieper het bos in, nadenkend over de koopman-jager. Zijn gedachten werden langzamerhand verstoord door een zwak, hardnekkig geluid, misschien afkomstig van een dier dat bang was of pijn had.

Kerisj ging op het geluid af en dook onder een wortel door, maar stond voor een doornige wirwar van struiken. Het geklaag kwam van heel dichtbij. Kerisj begon op zachte toon te roepen. Het geluid verstomde even en begon toen weer luider ten teken van angst of boosheid. Kerisj probeerde de takken uiteen te duwen, maar ze waren te sterk voor hem. Aarzelend knielde hij en kroop onder de struiken door. Doornen boorden zich in de fijne stof van zijn kleed, prikten in zijn schouders en trokken aan zijn haar.

Het was donker, maar Kerisj zag dadelijk de glinsterende

gouden ogen van het kleine groene diertje dat ineengedoken voor hem zat. Toen zagen de ogen Kerisj en met een miauw van angst wilde het dier in de doornstruiken klimmen. De prins pakte het en vloekte zo vloeiend dat het Forollkin geschokt zou hebben toen het dier zijn klauwen en tanden in zijn handen zette.

Het stevig vasthoudend kroop hij terug door de struiken. Toen hij eindelijk weer op zijn benen stond was zijn kleed op wel tien plaatsen gescheurd en bemodderd, terwijl bloed op zijn handen parelde, maar Kerisj was in de wolken. Hij hield het blazende, krabbende diertje omhoog en riep: 'Forollkin, kom eens kijken, ik heb een moeraskatje gevonden!'

De katten van Galkis waren afstammelingen van een paar dat Imarko zelf op het eerste schip had meegebracht. Ze waren zeldzaam en kostbaar en leefden nu alleen in haar tempel in Hildimarn, waar Kerisj vele gelukkige uren had doorgebracht met pogingen hen zover te krijgen dat ze notitie van hem namen. Moeraskatten waren bijna even zeldzaam en zeer gezocht om de mooie metgezellen en felle bewakers te worden van de adel en de rijken. Het diertje dat Kerisj vasthield zou als het groot was meer dan een meter lang zijn, van de punt van zijn neus tot aan zijn staart. Zijn lichte donzige vacht zou glanzend groen worden, maar zijn ogen zouden altijd die gouden kleur behouden.

Kerisj streelde het kopje van het katje en werd weer gekrabd. Forollkin en Dau kwamen door het bosje aanwaden.

'Kijk, kijk toch eens, is het niet mooi?'

Grinnikend stak Forollkin een hand uit en trok hem gauw terug toen een slanke poot naar hem sloeg.

'Ze zijn vals, heer,' zei Dau, 'want het zijn kinderen van de Groene, de heer der dieren, die mensen haat. U moet het slaan, dan wordt het tam. Ik zal een kooi halen.'

'Er wordt niet geslagen of in een kooi opgesloten,' antwoordde Kerisj en hij wikkelde het woeste katje in zijn mantel en droeg het naar het schip.

Ibrogdiss feliciteerde hem met zijn vangst. 'Een mooi sterk katje, heer. De moeder moet dood zijn, anders was ze wel op het gemiauw afgekomen. Veertig gouden kekors zou een koopman uit Forgin voor zo'n jong katje geven. Zal uw keizer in zijn schik zijn?'

'Vast en zeker,' mompelde Kerisj afwezig. 'Ik zal het Lilahnee noemen, naar de kat van de dichter-keizer.'

'Ja, hij zal zeer in zijn schik zijn,' antwoordde Forollkin haastig, 'en daarom zullen we uw loon aan het einde van onze reis verhogen.'

Ibrogdiss maakte een dankbare buiging en Forollkin kon zijn gezicht niet zien.

'Zeg, Kerisj,' vervolgde hij, 'ik vrees dat je het in een kooi zal moeten stoppen. Het dier zou in een mum van tijd onze tent aan flarden scheuren en er vandoorgaan.'

Na enig heen- en weergepraat werd overeengekomen dat het katje vrij mocht rondlopen in de tweede hut op het achterschip. Toen Kerisj haar erheen bracht, sprong het dier onmiddellijk uit zijn armen in de spanten en was er niet toe te bewegen naar beneden te komen, zelfs niet met een kom vers vlees. Het bleef er zitten met haar oren vlak tegen haar schedel en braakte kattescheldwoorden uit. Het zag er zo mager uit dat Kerisj in de verleiding kwam het met geweld te voeden, maar besloot wijselijk het katje met rust te laten tot de volgende ochtend.

Kerisj en Forollkin waren de volgende dag in alle vroegte op om te zien hoe de bemanning een fijnmazig net over de *Groene Jager* spande en aan de top van de mast en de zijden van het schip vastmaakten. Het was alsof ze in een grote, flauw verlichte kooi stonden, maar een kooi om wilde dieren buiten te houden en niet binnen. De *Groene Jager* stond op het punt door een yalgbos te varen en op de yalgbomen groeiden de gauza-orchideeën waarvan het stuifmeel gebruikt werd om een zwaar verdovend middel te maken.

Waar gauza-orchideeën waren, waren ook zzaga's, glanzende zwartgroene insekten, ieder zo groot als de vuist van een man, met een dodelijke steek. Ze bouwden hun moddernesten in de yalgbomen en maakten hun lichte zoete honing van het gauza-stuifmeel. Zo kostbaar als die honing ook was, slechts weinig kooplieden probeerden hem te bemachtigen, want de zzaga's bewaakten hun nesten meedogenloos en vlogen vaak in grote dodelijke zwermen. Ibrogdiss liet elke centimeter van het net controleren voor hij de slaven naar de riemen stuurde.

Toen het schip dwars voor de donkere yalgbossen lag, wikkelden Ibrogdiss en vier van zijn slaven zich in dikke repen groene stof. Alleen hun ogen en neusgaten bleven onbedekt en er werden netten over hun hoofden gedrapeerd om ze gedeeltelijk te beschermen.

De koopman-jager had al geïnformeerd of zijn passagiers er iets voor voelden met hem de yalgbossen binnen te gaan. Kerisj had bijna ja gezegd voor Forollkin kon weigeren met een onvriendelijk commentaar waaruit duidelijk de afkeuring van de Galkiër voor de gauza-handel bleek.

Ibrogdiss had een zwakke verontschuldiging gemompeld en het laatste van zijn beschermende omhulsels vastgebonden.

Daarna trokken de Galkiërs zich terug in hun tent gedurende

de spannende minuut waarin Ibrogdiss en zijn mannen onder het net doorglipten om naar de oever van de rivier te gaan.

'Zijn wij tegen gauza?' vroeg Kerisj. 'Ik dacht dat die alleen gebruikt werd in slaapdranken.'

Forollkin leek niet op zijn gemak. 'Wel, dat is één van de toepassingen. Zullen we weer naar buiten gaan, het klinkt alsof ze nu weg zijn?'

Door het net turend konden de Galkiërs Ibrogdiss en zijn mannen nog net langzaam en log tussen de donkere bomen zien lopen. Ze konden ook een gezoem horen, luider en gestager dan dat van de gewone moerasinsekten – het gezoem van de zzaga's. Het klonk als een onderdrukt gemompel van woede dat voortdurend dreigde in razernij uit te barsten.

Kerisj liet Forollkin staan die probeerde met een groep nerveuze slaven te praten en ging naar beneden naar de hut van de kat. 's Nachts had Lilahnee op een of ander ogenblik elk flintertje van haar voer opgegeten, maar ze was desondanks niet bereid vriendelijk te zijn.

Toen Kerisj de hut binnenkwam, gromde ze en zette haar haren op om groter te lijken. De prins bedwong een opwelling om te gaan lachen, bijna bang dat het dier zou voelen dat hij er de spot mee dreef. Hij praatte een poos op zachte vriendelijke toon met haar, verving de lege kom door een volle en deed de deur achter zich op slot.

Aan dek praatte Forollkin nog steeds met de Frianen, maar de meesten gingen haastig weer aan het werk toen Kerisj-lo-Taan naast zijn halfbroer ging zitten. Alleen Dau en nog een slaaf bleven vlakbij de tent van de Galkiërs op hun hurken zitten terwijl ze een koppel broodmagere vogels plukten voor het avondeten van Ibrogdiss.

Forollkin had Dau gevraagd naar het regenseizoen, maar Kerisj bracht het gesprek op de goden van Lan-Pin-Fria.

'Wie is de Groene? Waarom zijn katten zijn kinderen?'

Dau antwoordde onder het plukken. 'De Groene was de laatste van de goden. Ze lachten hem uit om zijn... ik ken het woord niet, maar hij was groen en hij leek op die daar.'

Dau wees naar de Forgiet die vlakbij in de schaduw van de watertonnen zat.

'Afzichtelijk,' zei de Forgiet kalm.

'Afzichtelijk.' Dau sloeg het woord op in zijn geheugen en vervolgde: 'Daarom maakte de Groene dieren en die lachten hem niet uit, maar de andere goden maakten mensen en zij deden de dieren van de Groene kwaad en maakten ze soms dood. Daarom dacht de Groene heel hard na en wat hij bedacht was een kat en de kat was zoals u, heer.' Ditmaal wees de Friaan naar Kerisj.

'Mensen zagen de kat en ze wilden dat hij bij hen kwam wonen, maar de kat moest niets van de mensen hebben. Hoe meer ze gaven, hoe minder hij aannam. De mensen waren verdrietig en de Groene lachte. Mensen doden dieren, maar katten doden de harten van mensen.'

'Dat is heel waar,' zei Forollkin vrolijk. 'Katten zijn ondankbare schepsels.'

'Je hebt gelijk, Dau,' prevelde Kerisj, 'ze tonen ons hoe hebzuchtig we zijn om iets terug te willen krijgen voor alles wat we geven.'

'En welke van jullie goden maakte vrouwen?' vroeg Gidjabolgo.

Dau wilde antwoorden, maar zijn woorden gingen verloren in het alarmgeroep. Iedereen aan dek versteende, elk gebabbel verstomde en de Galkiërs beseften dat de lucht vibreerde door een geluid dat leek op het verre gebrul van een woedende menigte.

'De zzaga's', zei Dau.

De half geplukte vogel viel op het dek toen hij naar de reling rende. De Galkiërs en Gidjabolgo volgden hem.

Door een waas van netten zagen ze vijf groene gedaanten naar het schip rennen zo hard als hun hinderlijke lappen het toestonden. Hun armen waren vol met iets mauve- en goudkleurigs: de gauza-orchideeën.

Kerisj' hoofd klopte van de woede van de zzaga's en voor zijn ogen viel de duisternis van het yalgbos uiteen in schaduwen met groene inkepingen die op de Frianen neerschoten.

Ibrogdiss beschermde zijn ogen met zijn vrije hand. De anderen volgden zijn voorbeeld en zo renden ze verder, half blind, naar de rivieroever.

Het was onvermijdelijk dat een van hen struikelde en viel. De orchideeën vielen uit zijn armen en de zzaga's zweefden boven hem. Toen begonnen ze op zijn lichaam te landen en binnen enkele tellen werd hij aan het oog onttrokken door een wolk van insekten.

'Waarom helpen ze hem niet?' vroeg Forollkin. 'Waarom gaan de anderen niet terug om hem te halen?'

'Zijn dood geeft de anderen tijd,' zei Dau kalm. 'Ga naar uw tent, heren. Er is gevaar.'

Er was een ijle gil toen een zzaga zijn weg vond onder de sluier van de gevallen slaaf. De man kronkelde van pijn toen hij in ogen en lippen werd gestoken. Forollkin pakte zijn broer bij de arm en trok hem mee naar de tent, Gidjabolgo toeroepend hen te volgen. Er stegen al een paar zzaga's op van de stervende

Friaan om de anderen te achtervolgen.

Ibrogdiss had het schip bereikt en klom langs de touwladder omhoog naar het dek. Het ging langzaam door de orchideeën die hij onder een arm had gestopt en zijn overgebleven slaven hurkten, gebeden jammerend, onderaan de ladder.

Boven maakte de bemanning voorzichtig een deel van het net los en tilden het net genoeg op om Ibrogdiss door te laten. De Galkiërs keken vanuit hun tent toe toen de koopman-jager over de reling werd gesjord. Hij stompelde over het dek, legde de kostbare orchideeën op een stapel pakdoek en draaide zich om om gesmoorde bevelen te roepen. Zijn Frianen maakten zich gereed om het net weer vast te maken, maar Ibrogdiss achtte de overige orchideeën het risico waard en beval het net omhoog te houden.

De eerste slaaf kroop over de reling en dan de tweede, maar toen de derde moeizaam de ladder opklom trok Ibrogdiss zijn bevel in. Er zaten al zzaga's op de rug van de man en hij kon niet tegelijk zijn gezicht beschermen én klimmen.

Gehoorzaam lieten Ibrogdiss' slaven het net zakken, zelfs toen de Friaan op de ladder tegen hen schreeuwde en zijn best deed zich naar boven te hijsen. Toen voelde hij de eerste zzaga op zijn voorhoofd kriebelen, gaf een gil, sprong van de ladder en tuimelde in de rivier.

Hiervan zagen de Galkiërs niets, maar wel hoorden ze de kreten van paniek toen één zzaga, die kans had gezien onder het net te komen, zich omhoog werkte.

Ibrogdiss schreeuwde bevelen die genegeerd werden in een stormloop naar het luik. De kapitein werd beschermd door de lappen, de slaven niet.

Met een furieus gezoem verscheen de zzaga over de reling, vloog op en botste weer tegen het net. Aldus gedwarsboomd scheerde hij laag over het dek.

Gidjabolgo dook onder het beddegoed van zijn meesters en greep een kussen om zijn gezicht te beschermen. Forollkin wilde zijn broer verder naar binnen duwen en de tentflap sluiten, maar Kerisj schreeuwde: 'Dau!'

De Friaanse slaaf, die het zelstuk van Kerisj krampachtig in zijn hand klemde, was de laatste in de rij mannen die elkaar verdrongen om beneden te komen. De zzaga zweefde boven zijn blote schouders. Forollkin stoof naar voren, rukte zijn mantel af, wierp hem naar de zzaga en sloeg het insekt op het dek. Vóór het zich kon bevrijden had Forollkins gelaarsde voet het dood getrapt.

'Nee, niet aanraken, de angel kan u nog doden,' zei Ibrogdiss terwijl Dau neerknielde om de voet te kussen die hem had gered. Heel gegeneerd duwde Forollkin de slaaf weg.

Een paar van de andere slaven waren alweer naar de reling gegaan, maar een wolk zzaga's bonkte tegen het net en in de rivier was geen beweging te zien.

Ibrogdiss wikkelde de groene lap van zijn gezicht. 'Twee planten verloren,' zei hij, 'maar deze drie zijn goed, alles bij elkaar acht bloemen.'

Forollkin keek de koopman-jager aan, te vol van walging om iets te zeggen en liep dan naar zijn tent om Gidjabolgo naar buiten te sleuren.

Ibrogdiss stuurde zijn bemanning weldra naar de riemen en tegen het vallen van de avond hadden ze de yalgbossen en het dreigende gevaar van de zzaga's achter zich gelaten. De Galkiërs bleven in hun tent voor het avondeten en toen Ibrogdiss iemand stuurde met het verzoek of Kerisj wat wilde zingen weigerde de prins boos.

Na een rusteloze nacht in de bedompte hitte van hun tent werd Kerisj vroeg in de ochtend wakker. Hij kleedde zich geruisloos aan en liet Forollkin slapend achter. Aan dek ging hij naar Dau toe en overreedde hem voor Lilahnee een vis, die bestemd was voor het ontbijt van Ibrogdiss, schoon te maken en in stukjes te snijden.

Dau en alle andere slaven die Kerisj zag hadden groene kringen om hun ogen geschilderd en hun handpalmen gekleurd. Hij vroeg of dit een uiting van rouw was, maar Dau kende dat woord niet.

'Treuren om iemand die dood is,' legde Kerisj uit.

'Het is voor de doden, ja,' antwoordde Dau, terwijl hij handig de ruggegraat van de vis wegsneed, 'maar niet treuren. De moerasgoden geven om degenen die ze doden.'

De visschubben maakten glinsterende patronen op de handen van de Friaan. Kerisj keek ernaar onder het spreken.

'Geven ze om allemaal? Om slaven en meesters?'

'Nee.' Voor het eerst keek Dau Kerisj open in de ogen. 'Nee, alleen om de slaven.'

'En de meesters?' vroeg de prins.

'U bent vrij, heer,' zei Dau. 'Daar mag ik niet over spreken, zelfs niet tegen u,' en hij reikte Kerisj een kom met vis aan.

Toen Kerisj bij het luik kwam, was dat gesloten en twee slaven zaten erbij alsof ze het bewaakten. Hij vroeg hen het te openen, maar ze weigerden zijn Zindars te verstaan en bogen alleen hun hoofden.

Ongeduldig bukte Kerisj zich om zelf het valluik open te trekken. Een van de slaven barstte in ongerust Friaans los, de

ander deed een poging in het Zindars.
'Heer, nee. Meester zeggen.'
'Je meester wordt betaald om mij te laten gaan waar ik wil.'
De prins streelde het purperen juweel op zijn borst en keek de Frianen strak aan. Ze krompen ineen en lieten hem zonder verder protest passeren.
Terwijl Kerisj de ladder afdaalde, begon hij te hoesten en zijn eerste indruk was dat het ruim vol rook was. Het was gezichtsbedrog, maar er hing een lucht zo zoetig en wee dat hij zich snakkend naar adem aan de ladder vastklampte.
Een geur leek hem in een grote golf te verzwelgen en dan weg te ebben. Hij herkende de geur die hem eerst voor een raadsel had gezet en nu wist hij wat ze was: de geur van de gauzaorchideeën. Zijn eerste gedachte was voor Lilahnee en hij liep haastig door het ruim om haar hut te openen.
Binnen was de geur veel minder sterk. Kerisj hield de deur net even te lang open en Lilahnee deed een snelle uitbreekpoging. Hij kon haar nog net pakken en werd vreselijk gekrabd voor hij de deur kon sluiten en haar weer kon neerzetten.
Zijn schrammen uitzuigend probeerde Kerisj Lilahnee te verleiden met de verse vis, maar ze sprong weer in de spanten en blies tegen hem. De prins ging op de vloer zitten en keek het katje strak aan. Hoe kon hij tot haar doordringen?
Kerisj dacht aan het hoofdstuk in het Boek der Keizers dat over de dichter-keizer en zijn kat ging. Tor-Koldin had zijn Lilahnee begrepen, de mensen hadden zelfs gezegd dat hij met haar kon praten en zij met hem. Begrip... de gedachten van Kerisj gingen met een ruk terug naar de dag van de or-gargeejacht.
Verscheidene keren had hij op het punt gestaan Forollkin te vertellen wat er werkelijk was gebeurd. Hij had geaarzeld, deels omdat hij wist hoe boos hijzelf in Forollkins plaats zou zijn om zo'n inbreuk op zijn gedachtenleven; deels ook om zichzelf te kunnen troosten met de wetenschap wanneer Forollkin hem ergerde.
De macht van de Godgeborenen: de hogepriester had de keizer geprezen omdat hij verboden had dat zijn zoons hun oude occulte machten geleerd werden. Waarom? Omdat het beter was er zelf achter te komen of vanwege het onheil dat zulke machten konden stichten als ze in boosheid of uit wrok werden gebruikt? Tenslotte had hij niets verkeerd gedaan, alleen Forollkin geholpen zijn leven te redden. Nee, hij zou zichzelf de grenzen van zijn eigen macht leren en met Lilahnee beginnen.
Kerisj ging rechtop zitten in de traditionele houding voor Zelmeditatie, sloot zijn ogen en stelde zich Lilahnee voor, het

slanke lichaam onder de zachte groene vacht, de glanzende gouden ogen, de lange spitse oren en de veerachtige snorharen... een trots dier, geen dier om hardhandig onderworpen te worden.

Hij probeerde zich in te denken hoe ze zich gevoeld moest hebben toen hij haar vond, alleen, moederloos, haar vacht nat en vuil van de modder, ineengedoken onder de doornstruiken, terwijl een onbekend gevaar met veel lawaai naar haar toe kroop. Toen stelde hij zichzelf voor als een volwassen moeraskat die haar kwam troosten. Met een enorme wilsinspanning bekleedde hij zijn lichte huid met een groene vacht en verlengde zijn nagels tot klauwen. Hij kreeg snorharen en een staart en probeerde te spinnen, maar hij wist niet hoe te beginnen. Hij werd uit zijn concentratie gehaald door de bons waarmee Lilahnee van haar spant op de grond sprong.

Geduldig bouwde hij het beeld weer op en verving het dan door een beeld van zijn handen die uitgestoken werden om het moeraskatje te voeden en te strelen.

'Vriend,' prevelde hij en een golf van genegenheid voor het ongelukkige, eenzame diertje viel in een waakzame stilte.

Iets kouds raakte Kerisj' hand aan en zijn ogen vlogen open. Lilahnee snuffelde voorzichtig aan zijn vingers. Kerisj snakte ernaar haar op te pakken, maar bleef doodstil zitten. Lilahnee beet even in zijn pink en viel daarna op haar eten aan, hem totaal negerend. Met het gevoel dat hij enige vordering had gemaakt, glipte Kerisj de hut uit.

Hij liep Ibrogdiss recht in de armen. De adem van de kapitein stonk naar de bedorven, weezoete lucht van gauza en zijn gezicht droop van het zweet. Kerisj probeerde zich uit zijn greep te wringen, maar de koopman-jager was verrassend sterk.

'Niemand mag hier komen, niemand.'

'Ik ging naar beneden om het moeraskatje te voeden,' zei Kerisj bedaard. Zijn stem scheen door de verdoving van de Friaan heen te dringen.

'Jonker,' Ibrogdiss stak zijn mollige vingers uit om de welving van de jukbeenderen van de prins na te tekenen en aan zijn haar te trekken. 'Jonkertje dat dromen zingt.'

'Ibrogdiss, laat me toch los.'

'Nooit. Wanneer je broer verdwenen is, zal ik je op een veilig plekje opsluiten en dan zul je voor me zingen.'

'Ik zal voor je zingen wanneer je maar wilt,' antwoordde Kerisj voorzichtig, 'maar wij moeten naar het noorden reizen, naar de bergen.'

'Alle reizen beginnen en eindigen in de moerassen,' prevelde

Ibrogdiss. 'Daarachter ligt niets, niets. Jij hebt het land Galkis maar gedroomd. Het is een mooie droom, mijn dromen waren ooit ook mooi. Nu zijn ze akelig en de moerassen bedekken Zindar, er valt niet aan te ontsnappen.'

Kerisj stribbelde niet langer tegen.

'Galkis bestaat werkelijk, dat verzeker ik je. Niet alle landen zijn zo wreed als Lan-Pin-Fria.'

Ibrogdiss scheen het niet te horen. 'De moerassen zullen me weldra tot zich nemen. Ze nemen altijd meer dan ze geven en de goden drijven de spot met mijn offers.'

'Breng hen dan een nieuw soort offer,' stelde Kerisj voor. 'Bevrijd je slaven, voed de armen, bescherm de zwakken; schenk de goden vreugde.'

'Je begrijpt het niet,' zei Ibrogdiss treurig en hij liet de prins los. 'De moerassen groeien in onze geest, ze verstikken ons, verdrinken ons, verduisteren onze dromen.'

Door de half openstaande deur van Ibrogdiss' hut zag Kerisj het komfoor waarin de gauza verbrand was. De dampen maakten hem zelf duizelig en opeens verfrommelde het gezicht van Ibrogdiss en kreeg de vorm van leliebloemblaadjes. Vocht droop uit zijn mond en ogen, draderige slijm dat Kerisj inspon, vasthield, tot hij spartelend stierf.

Bevend deinsde de prins achteruit terwijl Ibrogdiss zei: 'Als je broer en de lelijkerd uit de weg zijn geruimd zul je voor me zingen en we zullen onze dromen voor de goden verstoppen.'

Kerisj vluchtte weg uit het ruim, de ladder op. Eenmaal aan dek moest hij over de reling hevig overgeven. In een mum voelde hij Forollkins armen om zich heen en Gidjabolgo was een geïnteresseerde toeschouwer. Met zijn tweeën hielpen ze hem naar de tent.

'Sluit de flap,' mompelde Kerisj.

'Nee, je hebt lucht nodig,' riep Forollkin uit. 'Ga nu maar liggen.'

'Hij heeft afzondering nodig!' zei Gidjabolgo en sloot de tent.

Forollkin schonk een beker lauwe wijn in voor zijn broer en Kerisj spoelde de bittere smaak in zijn mond weg.

Er was amper plaats voor alle drie in de kleine tent, maar het was duidelijk dat Kerisj wilde dat Gidjabolgo bleef.

'Mij best, maar wat is er?' vroeg Forollkin. 'Wat is er aan de hand?'

'Gauza.'

De lucht hing nog in zijn haar en kleren en Gidjabolgo knikte. 'Het hele schip stinkt ernaar en Ibrogdiss het ergst van alles.'

‘Gebruikt hij het?’ vroeg Forollkin. ‘Maar ik dacht dat het mensen uitputte en krankzinnig maakte, en Ibrogdiss lijkt sterk genoeg en bij zijn gezonde verstand.’

‘Gauza geeft gezondheid en kracht,’ antwoordde de Forgiet. ‘Het doodt pas wanneer de gebruiker ermee stopt en dat gebeurt meestal. De dromen die het geeft zijn eerst heel prettig, maar ze veranderen. In Forgin noemen wij gauza de wortel van de wanhoop. Ik heb een man ooit zien onthoofden omdat hij zijn vrouw en kinderen had vermoord. Gauzadromen hadden hem ertoe gebracht. Hij dacht dat de wereld te slecht voor hen was.’

‘Ja, zo is Ibrogdiss ook,’ beaamde Kerisj en hij vertelde hun wat de koopman-jager had gezegd.

‘Zozo,’ mompelde Gidjabolgo, ‘de minzame koning van Ellerinonn heeft de zaak zo gearrangeerd dat wij middenin de Friaanse moerassen gestrand zijn op het schip van een aanstaande moordenaar.’

‘Ik geloof niet dat Ibrogdiss zichzelf als een dief of moordenaar ziet,’ zei Kerisj. ‘Hij zou jullie liever laten verongelukken dan jullie vermoorden.’

‘Wel, we zullen hem geen gelegenheid geven,’ verklaarde Forollkin. ‘Voortaan geen uitstapjes meer in de moerassen.’

‘Maar dan merkt hij dat wij achterdochtig zijn en dat zal hem dwingen nu meteen stappen te nemen,’ protesteerde Kerisj. ‘Als we hem aan het lijntje kunnen houden worden onze kansen beter hoe noordelijker we komen. Zelfs als het ons zou lukken de rieten boot te stelen hoeven we niet te hopen dat wij in de moerassen op eigen houtje kunnen overleven, maar als we precies aan hun zoom waren, dicht bij de noordelijke uitlopers van de bergen...’

‘Ja, dan zouden we er met een paar slaven op uit kunnen gaan, hen overmeesteren, de boot nemen en naar het noorden gaan,’ zei Forollkin.

‘Nadat we eerst, zonder ons verdacht te maken voedselvoorraden, warme kleren en de kat van de meester hebben ingeladen?’ informeerde Gidjabolgo.

‘Misschien is dat echt het beste dat we kunnen doen,’ snauwde Forollkin. ‘De andere mogelijkheid is dat we Ibrogdiss hier op het schip overmeesteren. Weliswaar ben ik goed bewapend en jullie tweeën zouden misschien een handje kunnen helpen, maar alles hangt af van de vraag hoeveel van zijn slaven voor hem zouden vechten; het zijn er achttien.’

‘Ze zouden hem eigenlijk moeten haten,’ zei Gidjabolgo, ‘maar uit angst zullen ze wel voor hem vechten, want waar zouden ze zich kunnen verstoppen voor de wraak van alle andere kooplieden-jagers?'

'Kerisj, wat denk jij?' vroeg Forollkin.

De prins lag achterover in de kussens en wreef zijn hoofd alsof het pijn deed. 'Ik weet het niet. Om de een of andere reden koesteren Ibrogdiss' slaven geen wrok om zijn wreedheid en er is iets dat hen verbindt. Ik denk dat ze een gedragscode hebben, maar ik betwijfel of zelfs Dau me zal willen vertellen welke dat is.'

'Wel, probeer het. Je kunt zo handig dingen uit mensen wurmen en in de tussentijd...'

'In de tussentijd geloof ik dat je bleek ziet, Forollkin.'

'Wat?' Forollkin gaapte zijn broer aan.

'Als je plotseling koorts hebt gekregen zal dat een goed excuus zijn om niet aan wal te gaan,' zei Kerisj, 'en als Ibrogdiss denkt dat je een natuurlijke dood gaat sterven zal hij niet tegen ons optreden.'

'Maar Kerisj, hij heeft je als het ware gezegd dat hij van plan is ons te vermoorden...'

'Zijn hoofd was vol gauza-dampen,' zei Gidjabolgo minachtend. 'Als je gewoon doet zal hij denken dat hij het gesprek maar heeft gedroomd.'

'Nou, kun *jij* je dan niet ziek houden?' bedelde Forollkin. 'Je weet dat ik geen toneelspeler ben.'

'We zullen je wat rotte vis te eten geven om de symptomen op te wekken,' opperde Gidjabolgo.

'Nee. Forollkin,' zei Kerisj vastberaden, 'ik ben niet degene die Ibrogdiss uit de weg wil ruimen. Jij zult het moeten doen.'

Die avond liet Ibrogdiss weer vragen of Kerisj voor hem wilde zingen. Ditmaal stemde de prins toe. Hij zong van het Bos van Imaald waar de negende keizer had getreurd om In-Kelda, zijn koningin, de vrouwe van de regenboog; van de Zee van Az die purper werd gekleurd door de zoom van Zeldins mantel die in het water hing toen hij van Galkis naar Ellerinonn schreed; en van het Witte Strand van Hildimarn, waar één keer per jaar de hogepriesteres naar de voetstappen van Imarko zoekt.

Gidjabolgo ging naar het ruim waar hij het niet kon horen, maar alle Frianen luisterden aandachtig en Dau fluisterde gedeeltelijke vertalingen tegen zijn makkers. De avond eindigde toen Forollkin stroef verklaarde dat hij zich onwel voelde waarop Kerisj hem bezorgd naar hun tent bracht.

De volgende morgen kondigde Kerisj aan dat heer Forollkin lichte koorts had en in bed bleef. Ibrogdiss had het te druk om zich voor de mededeling te interesseren omdat ze weer een yalgbos naderden. Terwijl de beschermende netten weer aangebracht werden liet Kerisj de tent door Gidjabolgo bewaken en ging naar het achteronder om Lilahnee te eten te geven.

De kleine moeraskat sprong in de spanten zodra hij de deur opende, maar ze blies niet tegen hem. Geduldig zette Kerisj het voer neer en projecteerde dezelfde beelden. Toen bleef hij doodstil zitten en zag Lilahnee omlaag komen en haar voer eten. Toen ze klaar was, ging het katje vlakbij hem zitten om zich te wassen.

Heel voldaan stond Kerisj geruisloos op en ging terug naar hun bedompte tent.

Die dag werden er vijf gauza-orchideeën geplukt en Ibrogdiss en zijn mannen keerden allemaal veilig terug. 's Avonds bij het eten was de koopman-jager in een voortreffelijk humeur en klapte in zijn handen op het ritme van de zeemans- en marsliedjes die Kerisj voor hem speelde. Maar toen de prins een lied aanhief dat hij zelf had gecomponeerd over de schoonheden van Ellerinonn legde Ibrogdiss hem onmiddellijk het zwijgen op.

'Nee nee, jongeheer, ze zeggen dat dat land door een tovenaar wordt geregeerd, een slechte man.'

'De koning van Ellerinonn is niet slecht, dat verzeker ik je.'

'Alle tovenaars zijn slecht,' zei Ibrogdiss. 'Ze nemen hun lot in eigen handen en maken de goden boos. Zing iets anders.'

De volgende morgen vertelde Kerisj de koopman-jager dat Forollkin zieker was. Ibrogdiss zei dat het moeraskoorts kon zijn, hoewel die zeldzaam was in deze tijd van het jaar.

Kerisj vroeg wat de symptomen waren en kon daarop beamen dat Forollkin ze had.

Terug in hun tent deelde de prins zijn broer mee dat hij een hoge kleur had, hevig zweette, pijn in zijn maag had en af en toe krampen.

'Wat voor krampen?' vroeg Forollkin.

'Dat weet ik niet precies,' zei Kerisj. 'O ja, en je moet dit opdrinken, alleen zou ik het niet doen als ik jou was, want ik heb de ingrediënten gezien.'

De volgende drie dagen voer de *Groene Jager* naar het noorden. Elke ochtend vroeg Dau zichtbaar bezorgd hoe Forollkin het maakte. Wat beschaamd gaf Kerisj een kort antwoord, maar er scheen zich nooit een gelegenheid voor te doen om Dau te vragen naar zijn gevoelens ten opzichte van Ibrogdiss; de kapitein van de *Groene Jager* scharrelde altijd in hun buurt rond.

Kerisj moest het grootste gedeelte van zijn tijd in hun tent bij Forollkin zitten, terwijl Gidjabolgo buiten voor de tent zat en voortdurend wreed observerend commentaar op de bemanning van het schip leverde.

Af en toe stond hij zichzelf toe naar het achteronder te vluchten om bij Lilahnee te zitten en het katje begon hem te vertrouwen. De derde morgen stond ze Kerisj even toe haar te strelen, voor ze zijn hand een haal gaf. De volgende dag liet ze zich zowaar door hem voeren.

Toen Kerisj met het lege bord in zijn handen uit het ruim kwam, merkte hij dat de ochtend minder warm was dan hij was gaan verwachten. Er was een licht briesje en hij leunde even over de reling om te kijken hoe het landschap veranderde.

De rivier was smaller, de vale rietvelden werden nu onderbroken door talrijke girheuvels en heel in de verte meende hij de schaduw te zien van de uitlopers van de noordelijke bergen.

Plotseling voelde hij dat Ibrogdiss' handen zich om zijn schouders sloten. Kerisj kromp ineen toen hij de gauza rook, maar slaagde erin beleefd vragend te kijken.

'Jonge heer, je bent bleek, je bent moe. Je hebt je broer te lang verpleegd.'

Ibrogdiss begon over moeraskoorts te praten en legde uit dat het gewone verloop ervan zeven dagen was. De zevende avond kwam de crisis en het slachtoffer ging óf dood óf werd beter.

'Dan is de koorts hoog, heel hoog, jonge heer, je moet gaan rusten. Twee van mijn mannen zullen voor je broer zorgen. Ga in mijn hut liggen, anders word je zelf ook ziek.'

Kerisj bedankte Ibrogdiss voor zijn bezorgdheid, maar weigerde vastberaden. Ibrogdiss glimlachte en boog, maar Kerisj voelde dat zijn weigering de man boos maakte.

Die avond deelden de broers het avondeten van Kerisj, taai gekookt gevogelte en een beker girgan. Daarna stelde Kerisj een spelletje zel voor. Gidjabolgo zat dicht bij de tent en zou hen waarschuwen als Ibrogdiss of een van zijn Frianen in de buurt kwam.

Forollkin stemde zonder veel enthousiasme toe en terwijl Kerisj de stukken gereedzette en bij elk stuk de passende formule uitsprak, hief hij vol vuur een lange klacht aan over Lan-Pin-Fria. Na het eten, het klimaat en het landschap te hebben afgekamd viel hij de Frianen zelf aan.

'En wat ze ook zeggen, ze hebben geen godsdienst. Hun zogenaamde goden leren hen niet hoe ze met elkaar moeten omgaan. Ze konden net zo goed een stok of een hoop stenen aanbidden. Ik vermoed dat sommigen dat ook doen.'

Kerisj zette een kristallen piramide neer terwijl hij prevelde: *Aanschouw de berg waar Zeldin tot zijn zoon sprak en hem Galkis toonde. Moge ons ogen gegeven zijn om alle dingen nieuw te zien,*' en vroeg dan: 'Ons te leren hoe wij met elkaar moeten omgaan – zijn goden daarvoor?'

'Nou, dat is toch de essentie, niet soms?' zei Forollkin. 'Misschien moesten wij wat priesters van ons naar de Frianen sturen. Het is waar dat hun land nadelig voor hen is en dat ze een harde dobber hebben om in leven te blijven, maar ze geven de moerasgoden van alles de schuld en doen weinig om elkaar te helpen.

Zeldin, ik haat dit oord. Geen wonder dat Ibrogdiss in gauza-dromen vlucht.'

Kerisj zette een nieuw stuk neer. '*Aanschouwt de traan die Zeldin vergoot voor Imarko en bedenk dat zelfs God om ons treurt*,' en keek daarna op.

'Ja, en elke vlucht van hem maakt de nederlaag van Lan-Pin-Fria zekerder. Misschien heeft ook Galkis de wortel van de wanhoop ingeademd.'

'Ons land is verzwakt maar nog niet verslagen,' zei Forollkin. 'Hier doen we per slot iets om te helpen in plaats van handen te wringen voor een stel beelden.'

'Helpen we echt?' vroeg Kerisj. 'Geloven we werkelijk dat er iets is dat wij kunnen doen, of maken we deze reis alleen om niet stil te hoeven zitten en het ergste te zien gebeuren?'

'Kerisj!' Jij bent degene die geacht wordt te begrijpen waarom we deze reis maken, niet ik. En zou de koning van Ellerinonn zijn sleutel hebben afgestaan en zijn koninkrijk in de waagschaal hebben gesteld als ons doel waardeloos was?'

'Neem me niet kwalijk, Forollkin. Je weet dat ik ervan houd dingen van alle kanten tegelijk te bekijken. Zo bedoel ik het echt niet.'

'Ik mag hopen van niet,' bromde Forollkin. 'Staat het bord klaar?'

Kerisj maakte het plechtige gebaar van het neerzetten van het onzichtbare middenstuk: '*Aanschouwt de leegheid in het hart van alle dingen, die elk mens moet vullen*. Ja, klaar.'

Na de gebruikelijke stilte verplaatste Forollkin roekeloos de Gouden Ster van Galkis in de richting van het Tweesnijdende Zwaard en mompelde daarbij een paar versregels over het offer van de Een voor de Velen, van buiten geleerd uit een boek over zelmeditaties.

Kerisj pakte de Gevleugelde Cirkel en na een hele poos te hebben gepiekerd zette hij het stuk naast de Zilveren Trap. Buiten hoorden ze Ibrogdiss bevelen roepen tegen de nachtwacht en de jammerende gebeden waarmee de Frianen de duisternis begroetten.

Kerisj goot meer olie in de lamp en ze speelden verder. Forollkin schoof de Regenboogbrug naar het Vuurrode Hart en haalde een gedicht over het Oversteken van de Golf van het

Zelf naar de Ander onjuist aan. Kerisj onderschepte hem met de Muur van Begeerte: '*Als je iets van mij begeert mag je het hebben, maar mijzelf nooit.*'

Briesend van ergernis dacht Forollkin hier niet lang over na. Hij gebruikte de Regenboogbrug om over een zwart vak te gaan: '*De wijze weet wanneer hij bang moet zijn.*'

Kerisj' hand zweefde boven het Kristal van de Geest en dan boven de Keizerorchidee. Zelfs in het flakkerende lamplicht zag Forollkin de verandering in het gezicht van zijn broer.

'Denk je aan hem? Aan Galkis?'

'De keizer, onze vader,' prevelde Kerisj. 'Ik kan nooit aan hem denken als de band tussen ons.'

'Ik evenmin,' antwoordde Forollkin. 'Ik kan mezelf helemaal niet zien als een deel van de Godgeborenen. Jij hoort erbij. Ik niet. En wat mijn moeder aangaat...'

Kerisj keek naar het bord, maar hij hoorde de pijn in Forollkins stem: 'Ze zal nu wel weten dat ik er met jou vandoor ben om het een of andere wilde idee na te jagen, in plaats van in Efaan voor haar een gouden toekomst te bouwen. Soms denk ik dat jij boft, Kerisj, dat je je moeder zo jong verloren hebt. Jij kunt tenminste dromen over haar verzinnen. Het is gemakkelijker van de doden te houden.'

'Forollkin...'

Kerisj bleef steken bij het plotselinge geluid van een heftige hoestbui. Het was Gidjabolgo's seintje. Forollkin kroop haastig onder de dekens en Kerisj ging rechtop op zijn knieën zitten. Er werd op de tentflap gekrabbeld en Dau kroop naar binnen, met een vinger op zijn mond.

'Dau, wat is er?' fluisterde Kerisj.

De Friaan keek naar de hoop beddegoed die Forollkin verborg.

'Is de heer erg ziek?'

Kerisj knikte.

'Gaat hij dood?'

'Nee!' zei Kerisj. 'De koorts verzwakt hem, maar zal hem niet doden.'

'Heer, hij zal sterven.'

De Friaan kroop naar voren tot zijn knieën die van Kerisj aanraakten en zei heel zacht: 'Mijn meester heeft het gezegd.'

Kerisj hoorde Forollkins ademhaling stokken, maar hij bewoog zich niet.

'Wat heeft hij gezegd?'

'De meester is bang dat u de koorts zal krijgen, heer. Hij is van plan u weg te halen bij uw broer en u in de hut bij de moeraskat op te sluiten. Dan zal hij u vertellen dat uw broer aan de koorts is gestorven en dat ook de lelijkerd ziek is.'

'Mijn broer ligt niet op sterven,' zei Kerisj.

'Heer, wij moeten hem straks verplegen en wij krijgen met de zweep tenzij...'

Dau pakte een van de kussens en maakte een gebaar alsof hij het op iemands gezicht drukte.

'U begrijpt, heer...'

Kerisj knikte. Tevoren had hij alleen geweten dat er gevaar dreigde, nu voelde hij het ook. Zijn maag kwam in opstand en hij moest zich inspannen om niet toe te geven aan de wens naar buiten te stuiven, Ibrogdiss te zoeken en tegen hem te schreeuwen: 'Dood ons, dood ons nu allemaal maar. Ik kan het wachten niet verdragen nu ik weet wat je bent.'

Forollkin begon in bed te woelen. Hij kon niet langer doen alsof hij bewusteloos was.

'Dau,' fluisterde Kerisj, 'wil je ons helpen tegen Ibrogdiss?'

De Friaan schudde zijn hoofd. 'Heer, ik mag mijn meester geen kwaad doen, anders komt de vloek van de goden op mijn hoofd terecht.'

'Dat zouden we niet van je vragen,' zei Kerisj voorzichtig, 'maar we hebben je hulp nodig om te vluchten. Vergeet niet dat heer Forollkin je leven heeft gered.'

'Dat weet ik, heer en u hebt me uw god gegeven om mij te beschermen. Ik zou voor u sterven en de goden zouden er niet boos om kunnen zijn,' fluisterde Dau, 'omdat u vrij bent. Misschien als heer Forollkin sterker was...'

Forollkin wierp het beddegoed van zich af en Kerisj greep Dau bij de schouders om te beletten dat hij van schrik opsprong.

'Heer Forollkin is van zijn koorts hersteld. We hielden het geheim met de gedachte dat Ibrogdiss een ziek mens geen kwaad zou doen...'

'Maar we vergisten ons,' zei Forollkin bitter. 'Het schijnt dat je meester voor geen kwaad terugdeinst.'

'De goden hebben hem geschapen,' antwoordde Dau, 'en hij moet zijn zoals ze hem hebben gemaakt.'

'Zelfs tegen jou, zijn zoon?'

'Ik ben een slaaf,' zei Dau met wonderlijke waardigheid. 'De goden hebben ons gemaakt om te lijden en zij zullen ons genezen.'

Kerisj begon het te begrijpen. 'Maar omdat wij vrij zijn, mogen wij ons tegen Ibrogdiss verzetten en je kunt toch stellig de ene meester helpen zolang je de andere geen kwaad doet.'

'Ik denk dat het zo is,' beaamde Dau.

'We moeten een plan maken,' zei Forollkin. 'Ziet het er naar uit dat Ibrogdiss morgen van boord gaat?'

De Friaan schudde zijn hoofd.

'Misschien moesten we vannacht in actie komen, dan...'

'Nee!' Dau schudde zijn hoofd nog heftiger. ''s Nachts zijn de moerassen gevaarlijk; de or-gar-gee gaat op jacht en in het zuiden zijn er veel or-gar-gees.'

'Maar wij gaan naar het noorden, naar Lokrim en nog verder,' zei Kerisj.

Ze konden zien dat Dau heel nieuwsgierig was, maar slaven was geleerd hun meesters niet te ondervragen.

'Naar het noorden dus. Ik zal u brengen naar het huis van de familie van mijn moeder, in Lokrim.'

'Maar hoe komen we weg?' vroeg Forollkin. 'Zal de rest van de bemanning ons willen helpen?'

'Helpen, nee, maar ze zullen mij niet tegenhouden.' De Friaan wiegde heen en weer op zijn hielen en dacht diep na. 'De meester vertrouwt mij in zijn hut. Morgen moet ik er dingen weghalen om ze naar de andere hut te brengen, om een gevangenis voor u te maken, heer. Misschien is er tijd als... Heren, hebt u een vuurstok? De meester bewaart de zijne goed.'

'Ik heb vuurstenen,' zei Forollkin, die op reis er altijd een paar bij zich had.

'Zouden uw geesten het goed vinden dat ik die gebruik? Zou u het mij kunnen leren?'

'Het is heel gemakkelijk,' zei Forollkin wat smalend. 'Er zijn geen geesten bij nodig.'

Dau's lachje gaf hem plotseling iets van Ibrogdiss.

'Dan is het goed, maar ik moet met mijn broers spreken. Ik kom voor de ochtend terug.' En hij kroop geruisloos de tent uit.

'Kunnen we hem vertrouwen?' fluisterde Forollkin.

'Ja,' antwoordde de prins met meer overtuiging dan hij voelde.

3
Het Boek der Keizers: *Wijsheid*

En hij sprak tot hen: 'Gehoorzaamt ge mij?' Zijn discipelen antwoordden; 'Heer, in alle dingen!' maar hij schudde zijn hoofd. 'Dat kan niet, want het eerste van mijn geboden is dit – gehoorzaam nooit zonder na te denken.'

Eerder om niet te hoeven nadenken dan om een andere reden liep Kerisj zachtjes in de tent heen en weer om de onontbeerlijke dingen voor hun reis naar het noorden in één lichte draagkist te pakken. Wat nu precies onontbeerlijk was gaf aanleiding tot een lange gefluisterde woordenwisseling. Ten slotte stond Forollkin Kerisj toe zijn zildar en zijn exemplaar van het Boek der Keizers mee te nemen, maar verbood hem de zware zelstukken in te pakken.

'Die zullen we achterlaten om Ibrogdiss' loon te betalen.'

Af en toe hoorden ze buiten mompelend praten, maar zelfs Kerisj' scherpe oren konden niet onderscheiden wat er werd gezegd. In het donker van de schijnbare dageraad glipte Dau de tent weer in.

'Ik heb met mijn broers gesproken,' fluisterde hij. 'Het zal gebeuren, maar u moet mij helpen, heer.'

Hij keek Kerisj aan die knikte. 'Zeg me maar wat ik moet doen.' De prins luisterde zorgvuldig naar zijn instructies en herhaalde ze een keer om zich ervan te overtuigen dat hij ze begrepen had.

'Ik moet nu gaan,' mompelde Dau. 'De meester wordt aanstonds wakker.'

'Stuur Gidjabolgo naar ons toe,' vroeg Kerisj. 'Hij moet ook weten wat we gaan doen.'

Dau keek alsof hij zich niet op zijn gemak voelde. 'Zal hij doen wat u zegt? Het is niet juist dat mijn broers voor hem worden gestraft. Hij is geen meester.'

'Hij zal geen moeilijkheden maken. Daar sta ik voor in,' zei Forollkin bars.

Dau knikte en nadat Forollkin hem had voorgedaan hoe hij vonken moest maken met de vuurstenen liet hij de broers alleen.

Kerisj kwam niet uit zijn tent om het moeraskatje even vroeg als altijd te eten te geven, maar wachtte tot hij de bemanning de netten hoorde ophalen die ze de vorige avond hadden uitgeworpen, de komforen hoorde vullen met steenkool en rook dat er vis werd geroosterd.

Het zweet droop langs Forollkins gezicht toen hij geheel gekleed onder de dekens lag met zijn lange zwaard naast zich.

'Kerisj, misschien moest je mijn dolk meenemen...'

De prins schudde zijn hoofd. 'Ik heb er nooit een gedragen, dus het zou Ibrogdiss opvallen.'

Forollkin keek boos. 'Als er iets mis gaat roep je, dan schiet ik je te hulp. Gidjabolgo heeft nu een mes en misschien dat we samen...'

'Elke Friaan aan boord heeft een mes,' zei Kerisj dromerig, 'en sommigen hebben bogen. Ze zouden hun leven geven om hun meester te beschermen, zelfs tegen ons. Ik ga nu.'

'Heb je de zakdoek?'

Kerisj knikte en glipte de tent uit.

Aan dek zat Ibrogdiss tussen een groep slaven het vet van pas gekookte vis van zijn vingers te likken.

'Goedemorgen, jonge heer. Hoe maakt uw broer het?'

'Er is niet veel verschil met gisteren,' antwoordde Kerisj, 'en dat is vast een goed teken.'

Ibrogdiss scheen het niet te horen.

'U bent vermoeid, bleke wangen, donkere kringen onder uw stralende ogen... u moet uitrusten.'

'Ik heb vannacht niet veel geslapen,' zei Kerisj naar waarheid. 'Ibrogdiss, wil je met me meegaan om Lilahnee te eten te geven? Gisteravond leek het alsof ze wegkwijnt. Haar vacht verliest zijn glans...'

'Het moeraskatje? Och ja, dat komt vaak voor. Het zijn koppige dieren en soms verhongeren ze vrijwillig, maar we kunnen haar met geweld voeren.'

Hij is blij dat ik het zo gemakkelijk voor hem maak, dacht Kerisj en rilde van angst toen Ibrogdiss opstond en zijn arm pakte.

'Ik ga met u mee en Gül zal naar uw katje kijken; hij heeft er verstand van.'

De koopman-jager riep een van zijn slaven. Kerisj kon geen reden bedenken om de raad van de man te weigeren, zodat ze met zijn drieën naar beneden gingen.

Ibrogdiss babbelde vlot over de moeilijkheden van het temmen van een moeraskat tot ze bij de deur van de hut waren.

'Laat mij eerst naar binnen gaan,' zei Kerisj, 'ze is nu aan me gewend. Ik roep jullie wanneer ik haar gepakt heb.'

Ibrogdiss knikte en boog zich over een van de potten met lelies terwijl Kerisj de hut binnenglipte en de deur op een kier liet staan. Lilahnee plofte vol verwachting uit de spanten en Kerisj hield haar het voer voor dat hij bij zich had. Ze viel er niet meteen op aan, maar keek hem met trillende snorharen aan alsof ze zijn spanning voelde.

Kerisj probeerde een kalmte uit te stralen die hij niet voelde. Toen hoorde hij een beweging door de dunne wand die de twee hutten scheidde.

Kerisj trok een zakdoek uit de borst van zijn tuniek op het moment dat Ibrogdiss riep: 'Hebt u haar gevangen, heer?'

'Ja,' antwoordde Kerisj, 'maar wacht nog even terwijl ik...'

De deur van de tweede hut vloog open en Kerisj hoorde Dau naar buiten stormen. Hij bond de zakdoek voor zijn mond en neus en schopte de deur dicht. Even werd er tegen geduwd en er klonk gesmoord geschreeuw. Toen sijpelde de zoete geur van gauza de hut binnen en het katje begon te niezen. Kerisj knielde naast Lilahnee neer en probeerde haar te kalmeren. Voor het eerst liet het diertje zich door hem vasthouden zonder tegen te stribbelen.

Toen werd de deur opengeduwd. Het was Dau die daar stond te wenken, de onderste helft van zijn gezicht in een groene lap gewikkeld. Kerisj streek Lilahnee's opstaande haren glad en stond op. Hij hoorde al gelach en toen hij uit de hut kwam zag hij dat de slaaf zich dubbel boog en hysterisch lachte, terwijl Ibrogdiss huilde zonder tranen.

Het rokende komfoor dat Dau uit de hut van zijn meester had gehaald stond tussen hen in. Dau had een hele handvol gauza verbrand, ter waarde van een losprijs voor een vorst, en de uitwerking had niet op zich laten wachten. Zelfs met de bescherming van zijn zakdoek begon de walm Kerisj duizelig te maken.

De slaaf bleef lachen alsof hij nog nooit gelachen had, maar Ibrogdiss staarde de prins aan en zijn ogen waren vol verschrikkingen.

'Jonkertje, je bent zwart van binnen, net als alle anderen. Vlak onder je huid is het pikzwart. Ik vond je stem lieflijk, maar ze heeft mij een nog ergere droom binnengezongen.'

Kerisj dacht aan zijn vader, de lamp van zijn moed gedoofd, alleen in het donker, maar de zoon van Ibrogdiss trok aan zijn arm.

'We moeten gauw gaan.'

Kerisj knikte, maar eerst stoof hij de hut weer binnen. Lilahnee had zich teruggetrokken in de verste hoek en haar haren stonden overeind van angst. Ze blies zwakjes tegen Kerisj toen hij haar oppakte. Haar gewicht zei hem hoe vlug ze groeide. Tenzij ze vrijwillig meeging, zou hij haar bij het van boord gaan moeten loslaten.

De kat met een hand steunend en de zakdoek nog steeds voor zijn gezicht liep Kerisj achter Dau aan door het ruim. Toen ze bij de ladder kwamen, zei Kerisj: 'Iemand zal dat gelach toch wel horen en naar beneden komen...?'

'Mijn broers zullen niets horen tot ik zeg dat hun oren open zijn.'

'Ibrogdiss en Gül lopen toch geen gevaar? Zal de gauza hen geen kwaad doen?'

'Over een uur of zo zullen de dromen wel weg zijn,' zei Dau.

'En wat zal Ibrogdiss met je broers doen?'

'Ze zullen zeggen dat hij hen bevolen had u de boot te laten nemen, toen hij onder de invloed van de gauza was. Hij zal het zich niet herinneren,' verzekerde Dau, 'en hij zal hen niet hard slaan omdat hij iedere man nodig zal hebben voor onze achtervolging.'

'En zullen ze gehoorzamen?'

'Ze zullen ons doden,' zei Dau, 'als de meester het beveelt.'

Aan dek gingen de slaven zwijgend verder met hun gewone bezigheden en negeerden Kerisj en Dau zo volkomen alsof ze hen niet zagen. Kerisj had moeite om Lilahnee in bedwang te houden en hij rende half naar de tent waar hij werd begroet door het dreigende gezicht van Gidjabolgo.

'Is het gebeurd?'

Kerisj knikte.

Gidjabolgo stoof weg om Dau te helpen met het neerlaten van de rieten boot en Forollkin kwam uit hun tent met de draagkist.

'Kerisj! Je neemt haar niet mee!'

Lilahnee was langs Kerisj' borst omhooggekropen en zette nu haar nagels in zijn schouders, haar kop onder zijn kin.

'Ze zal geen last veroorzaken,' pleitte de prins. 'Hang mijn zildar maar op mijn rug.'

'We zullen haar loslaten zodra we de oever bereiken,' zei Forollkin. Hij ging de zildar van de prins halen en liep met getrokken zwaard over het dek, maar niemand stak een vinger uit om hen tegen te houden. In een lugubere stilte, alleen verbroken door het gesmoorde gelach in het ruim, klom het viertal langs de touwladder in de rieten boot.

Kerisj werd ernstig gehinderd door het moeraskatje, maar hij weigerde koppig haar los te laten en toen ze allemaal plaats hadden genomen in de boot deed ze geen enkele poging om te ontsnappen.

Dau en Forollkin begonnen in zuidelijke richting te roeien. Ze bleven niet in de hoofdrivier, maar sloegen een zijriviertje in waarvan de oevers bedekt waren met felgroen mos.

'Niemand komt hier,' legde Dau uit, 'want ze gaan kopje onder en zijn verdwenen.'

'En de *Groene Jager* kan ons niet volgen,' zei Forollkin, buiten adem van het krachtige roeien.

'Nee, maar de reserveboten kunnen het wel,' mompelde Gidjabolgo. Ze hadden allemaal de andere twee rieten boten gezien die in het ruim stonden, maar Dau klopte op het mes dat in zijn lendendoek stak.

'Die heb ik kapot gemaakt. Ze moeten eerst aan het werk om ze te repareren, misschien wel uren.'

'Je hebt de sluwheid van je vader geërfd,' zei Gidjabolgo bewonderend.

Forollkin gaf zijn riem aan de Forgiet en probeerde ergens een plaatsje te vinden om te gaan zitten. Het bootje was nu heel vol en lag diep in het water. Iedereen scheen op een stapel netten te zitten en Kerisj zat, als de lichtste, bovenop de kist met de moeraskat op schoot. Gidjabolgo knielde naast hem, met zijn eigen vormloze bundeltje naast zich gepropt. Forollkin moest zijn bescheiden plaats delen met een fles en een stapel platte borden. Hoe hij ook ging zitten, zijn eigen zwaard of de boog die Dau had omgehangen scheen hem te steken.

Forollkin vroeg zich af hoe ver het naar Lokrim was en hoe lang ze samen zo opgepropt in de boot moesten zitten. Misschien niet zó lang – de boot was te zwaar om snel te varen en wanneer Ibrogdiss eenmaal zijn andere boten had gerepareerd...

'Dau, zal Ibrogdiss vermoeden welke route we eventueel nemen?'

'We gaan nu naar het zuiden,' antwoordde Dau tussen de slagen in, 'maar weldra keren we om. We moeten hopen dat hij denkt dat we naar het zuiden varen. Maar de meester is wijs, hij stuurt misschien mannen ook naar het noorden en hij zal weten welke wegen ze moeten nemen, de enige wegen.'

'Maar Ibrogdiss heeft toch zeker geen mensen of boten genoeg om alle mogelijke routes naar het noorden en zuiden te controleren?' vroeg Forollkin.

'Er is een dorp even stroomopwaarts vanaf de *Groene Jager*. Daar zal hij mannen halen en voor hun boten betalen.'

Een half uur later voeren ze een riviertje binnen dat zich naar het noorden slingerde. Ze kwamen afschuwelijk langzaam vooruit omdat ze het riet dat hun de weg versperde niet konden omhakken zonder een duidelijk spoor voor eventuele vervolgers achter te laten. Ze moesten ook heel stil zijn om geen grote zwermen vogels op te schrikken en daardoor hun aanwezigheid te verraden.

Dau, Forollkin en Gidjabolgo peddelden om de beurt en al gauw hadden alleen de handen van de Friaan geen blaren. Het was drukkend heet en het moeraskatje zat te hijgen op Kerisj' schoot. Om haar ongenoegen kenbaar te maken beet ze af en toe in zijn hand, maar ze maakte geen aanstalten om ervandoor te gaan.

Tegen het middaguur stopten ze kort in de schaduw van een treurboom om een van de broden te delen. Dau schepte rivierwater in een aardewerk kroes en vermengde het met een beetje girgan. Kerisj kon het nauwelijks door zijn keel krijgen zonder te kokhalzen, maar Dau verzekerde hem dat de kroes heel duur was gezegend door de sjamaan van Ix-lith en het water hem geen kwaad zou doen.

Toen peddelden ze verder. De rivier werd breder, maar was half verstikt door goud-en-rode lelies. Op elk ander tijdstip zou Kerisj ze prachtig hebben gevonden, nu waren ze slechts een hinderpaal voor hun snelheid.

In de verte rees een alleenstaande girheuvel op en een half uur later hadden ze die bereikt. Dau maakte de boot vast aan de dichtstbijzijnde tak en liet zich uit de boot glijden. Behoedzaam klauterde hij naar de heuveltop met een scherm van bomen als dekking.

In de boot strekte Forollkin zijn verkrampte benen en Gidjabolgo mompelde: 'En in hoeverre vertrouwen wij onze Friaanse vriend?'

'Helemaal,' zei Kerisj verontwaardigd.

'Dan kunnen we hem dus vertrouwen om zijn slavenbroers te doden als ze ons aanvallen?'

'Dat zou niemand van hem vergen,' protesteerde Kerisj.

'Maar zal hij, als hij niet aan onze kant wil vechten, toestaan dat heer Forollkin zijn broers aan die toverdolk van hem rijgt?'

'Niemand mag gedood worden,' zei Kerisj. 'Als ze ons inhalen zullen we proberen hen over te halen om...'

'Kerisj,' zei Forollkin vriendelijk. 'We zullen proberen niemand iets te doen, maar misschien zal het toch moeten. Jou zal Ibrogdiss vermoedelijk sparen, maar wij zullen zowel voor ons leven als voor onze speurtocht vechten...'

Hij bleef steken toen ze Dau de helling af hoorden glijden.

'Wat heb je gezien?' vroeg Gidjabolgo.

De Friaan negeerde hem, stapte behendig in de boot en zei tegen de Galkiërs: 'Twee boten volgen ons, twee dorpsboten, maar misschien zijn een paar van mijn broers bij hen.'

'Hoe ver achter ons?' vroeg Forollkin.

'Twee uren, heer. We moeten verder.'

Kerisj scheurde repen stof van zijn dunne blauwe mantel om

de handen van Forollkin en Gidjabolgo te verbinden. Hij bood aan zelf een poos te pagaaien, maar Forollkin zei bot dat hij meer kwaad dan goed zou doen. Dau maakte de boot los en ze gingen in sneller tempo verder. Na een uur kwamen ze bij een splitsing in de rivier. Dau tilde zijn peddel uit het water en keek fronsend voor zich uit.

'Wat is er?' vroeg Forollkin, dankbaar voor de korte rustpoos.

'De ene geul is nauw en verstikt door waterplanten, heel langzaam; de andere is breed en diep, we kunnen snel vooruit, maar misschien is het te laat op de dag.'

'Te laat voor wat?'

'Or-gar-gees,' antwoordde Dau. 'In het middaguur slapen ze, als de schemering valt gaan ze op jacht. We moeten de plassen gepasseerd zijn voor ze wakker worden.'

'Or-gar-gees zoals die ene die Forollkin heeft gedood?' vroeg Kerisj.

'Nee, klein, niet zo groot, maar toch nog gevaarlijk,' zei Dau.

Forollkins hand gleed naar de dolk aan zijn gordel. 'We zullen het risico van de or-gar-gees nemen.'

Dau knikte. 'We moeten stil zijn, zachtjes, geen geluid, geen gepraat.' Kerisj probeerde het zich gemakkelijk te maken op de harde kist. Het voortdurend opspattende water van Gidjabolgo's riem was heel welkom bij de verzengende hitte.

Het was toch vast niet koel genoeg voor een or-gar-gee om wakker te worden en op jacht te gaan?

Langs het water stonden nu hoge gevederde grashalmen en het oppervlak was glasgroen, vrij van waterplanten of bloemen. Binnen een half uur hadden ze het punt bereikt waar de stroom uitliep in een meertje.

Zwijgend reikte Dau Forollkin zijn riem aan en knielde in de boeg terwijl hij zijn ogen met een hand tegen de zon beschermde. Na een paar tellen gaf hij het sein en Forollkin en Gidjabolgo begonnen zo snel en gelijkmatig te pagaaien als ze konden.

Nerveus streelde Kerisj telkens weer Lilahnee's kop en ze begon te spinnen. Het klonk ontzettend luid, maar niemand anders scheen het te horen en de boot sneed snel en veilig door het water van het meer zonder iets ergers op te schrikken dan een wolk oranje vlinders.

Weer in een smallere geul gekomen rustten ze even uit, maar bij de aanblik van een hoop fijngedrukte rietstengels waar een or-gar-gee gepasseerd was gingen ze haastig verder.

Toen ze de volgende, vrij grote plas bereikten, pakte de Forgiet zijn riem en fluisterde Kerisj toe: 'Als we een or-gar-gee wakker maken kun je hem altijd de kat toewerpen.'

Ze waren in open water voor de prins kon antwoorden.

Dau's scherpe ogen onderzochten het oppervlak van de pla... Plotseling stak hij zijn hand op en Forollkin en Gidjabolgo trokken hun riemen uit het water. Dau wees naar de rand van de poel.

Alleen Forollkin wist waar hij naar moest kijken en hij zag dadelijk de zwarte neusgaten van een or-gar-gee en de groene glans van zijn snuit. De rimpels van zijn ademhaling verwijdden zich in hun richting.

Forollkin probeerde te schatten hoe groot het beest was en waar het kolossale lijf kon liggen. Dau greep Forollkins riem. Ze begonnen uit het midden van de stroom naar de slapende or-gar-gee te drijven. Amper zijn riem in het water dopend stuurde Dau de boot en liet hem zo lang als mogelijk was op eigen kracht voortglijden.

Kerisj' handen deelden zijn spanning mee aan het moeraskatje. Ze draaide zich om op zijn schoot om naar hem te kijken. Kerisj sloot zijn ogen en concentreerde zich op een beeld van zichzelf op droog land waar hij Lilahnee vis voerde. De kat trok tevreden haar nagels samen. Kerisj maakte een grimas van pijn, maar deed geen poging haar klauwtjes uit zijn knieën los te maken. Toen hij zijn ogen weer opende zag hij Forollkin de dolk van de hogepriester trekken, gereed om een uitval te doen naar het oog van de or-gar-gee als het ondier wakker werd.

Ze waren niet meer dan anderhalve meter van de onder water liggende kop verwijderd toen de schreeuw van een moerasvogel hen allemaal de stuipen op het lijf joeg. De boot schommelde even heen en weer, maar het rimpelpatroon veranderde niet. Langzaam en voorzichtig voeren ze de plas over naar de volgende nauwe geul. Na een paar minuten vond Dau het veilig om te pauzeren.

Forollkin sloeg de mantel weer om die hij eerder op de dag had afgedaan. De zon brandde niet langer en de Galkiërs waren lang genoeg in de moerassen geweest om te weten dat het snel afkoelde wanneer de schemering viel.

'Hoeveel plassen nog?' vroeg Forollkin.

'Nog een,' antwoordde Dau. 'De langste.'

'Is het nog warm genoeg om die over te steken? Konden we niet beter tot morgen wachten?'

De Friaan schudde zijn hoofd. 'Het is hier niet pluis. 's Nachts trekken de or-gar-gees door deze rietkragen. We moeten verder.'

Het volgende halve uur pagaaiden ze de te zwaar beladen boot zo snel als hij wilde gaan. Het was nog licht toen ze de deras bereikten, maar niet warm meer. De avondwind stak op rukte aan de rieten boot, zodat ze Dau's behendigheid om et de riem te sturen voortdurend nodig hadden.

Aan de rand van het meertje stopte de Friaan en liet de boot voortglijden. Het stuk open water was zó lang dat ze nog maar net de opening in het riet aan de overkant konden zien.

'Heer.' Dau draaide zijn hoofd om en keek Kerisj aan. 'Zal uw geest ons beschermen? Hebt u het hem gevraagd?'

Kerisj knikte. 'Ja, en jij draagt zijn amulet.'

Dau haalde het zelstuk uit zijn lendendoek, spuwde erop om geluk te brengen en hield het in zijn hand terwijl hij de boot voortstuurde. Gidjabolgo nam de tweede riem en Forollkin knielde met getrokken dolk.

Ze waren halverwege voor Dau de or-gar-gee ontdekte. Hij was gedwongen een scherpe draai te maken, want het monster lag middenin de plas. Door de rimpels van zijn adem kon de boot omslaan; zijn lussen moesten de hele plas vullen.

Kerisj sloot zijn ogen toen Dau naar de rand van de plas stuurde in de hoop om de or-gar-gee heen te sluipen. Hij concentreerde zich op rustige beelden: dat hij in de tuin van de keizer zat met Lilahnee op schoot, precies zoals de dichter-keizer eens met zijn kat had gezeten en geweigerd had haar te storen, zelfs voor een staatsraad. Alle grote heren en ministers waren gedwongen geweest voor de keizer op het gras neer te hurken en de wind nam hun woorden mee. Kerisj glimlachte toen hij hieraan dacht en zijn eigen Lilahnee spinde. Toen, juist toen hij het niet langer verwachtte, bleef de boot op iets vastzitten.

Na een ogenblik van koortsachtig gepagaai kwamen ze los, maar de lichte rimpels op het water veranderden in golven toen de or-gar-gee in beweging kwam. Ze hadden een van zijn lussen geraakt. Stinkende gasbellen verschenen aan de oppervlakte toen de modder op de bodem van de poel werd omgewoeld.

'Zeldin en Imarko help ons,' fluisterde Kerisj en Lilahnee liet een angstig miauw horen toen een reusachtige groene lus vlak bij de boot boven water kwam en de riem uit Gidjabolgo's handen sloeg.

Water klotste over de boeg toen de lus weer onder water verdween. Forollkin boog zich over de kant en greep de wegdrijvende riem nog net op tijd. Dau siste een razend bevel en ze kregen de boot vooruit.

Kerisj draaide zich om in de verwachting de grote kop bovenwater te zien komen met dat ene oog open... maar de or-gar-gee bewoog nog één keer waardoor de boot hevig schommelde en sliep door.

Drie eindeloze bange minuten lang pagaaiden ze gelijkmatig

door het langzaam tot rust komende water terwijl Gidjabolgo de kroes van de Friaan gebruikte om de boot leeg te hozen. Zelfs toen ze de geul hadden bereikt wilde Dau niet dat ze stopten voordat ze om een kromming waren gevaren en zich buiten het gezicht en de stank van de plas bevonden.

Lilahnee beklaagde zich bitter over haar druipnatte vacht en sloeg haar nagels in Kerisj' knie. Hij merkte het nauwelijks.

'Or-gar-gees worden niet gauw wakker,' zei Dau met een glimlach. 'Slaperig, dom, groot en dom.'

'Hoe ver nog voor we kunnen stoppen?' vroeg Gidjabolgo.

'Niet ver meer,' zei Dau die zijn riem weer opnam, maar het duurde nog een uur voor ze een grote girheuvel bereikten en de Friaan hen de boot liet vastmaken.

Ze klommen er met stijve ledematen uit, onder een wirwar van wortels en takken door duikend. Bij de top van de heuvel was voldoende ruimte om alle vier naast elkaar te liggen, maar het was er modderig. Forollkin offerde zijn mantel voor allemaal op zodat ze erop konden zitten en Dau verdeelde weer een brood.

Er was niets voor Lilahnee en de moeraskat spartelde in Kerisj' armen. Onwillig zette hij haar neer. Lilahnee rook aan het brood en liep toen op een holletje de bomen in.

Forollkin pakte de arm van zijn broer. 'Nee Kerisj, jij gaat hier niet weg. Het is bijna donker en je zou haar toch niet vangen.' Een paar minuten bleef de prins staan waar hij stond en riep zacht de moeraskat terwijl de anderen aten. Tenslotte overreedde Forollkin hem te gaan zitten en zijn stuk brood te eten.

'Het spijt me voor je, Kerisj, maar misschien is ze gelukkiger als ze vrij is. Per slot van rekening is het een wild dier.'

Hij wendde zich tot Dau. 'Moeten we een wacht uitzetten? Hoe ver zouden die twee boten achter ons zijn?'

'Vier uur nu, of vijf,' antwoordde Dau. 'Ze zullen de or-gargee-plassen niet binnengaan en daar vastzitten als het donker wordt.'

Toen Kerisj naast zijn broer op de koude vochtige grond ging liggen was hij ervan overtuigd dat hij geen oog dicht zou doen, maar uitputting was elk ongemak vlug te machtig. Slechts één keer werd hij 's nachts gestoord door het lawaai van een or-gargee die door de rietkragen denderde maar hij rolde zich alleen dichter naar zijn broer toe en sliep weer in.

Even nadat het licht begon te worden werd hij gewekt door iets kouds en kleverigs dat op zijn wang viel. Hij richtte zich haastig op en zag dat de moeraskat terug was en hem een cadeautje had gebracht, een verscheurde kikker.

Forollkin werd wakker, zag dat zijn broer Lilahnee tegen

zich aandrukte en was aanmerkelijk minder onder de indruk van haar jachtprestatie.

Gidjabolgo rekte zich uit en geeuwde. 'Moedig haar aan, misschien zijn we nog eens dankbaar voor haar kliekjes.'

Dau had de boot geïnspecteerd en kwam terug met weer zo'n klef onverteerbaar brood. Toen ze gegeten en zich gewarmd hadden met slokjes girgan, rolde Forollkin zijn vuile mantel op en ze scharrelden de heuvel af naar de boot.

De hele lange dag zat Kerisj op de harde kist voortdurend heen en weer te schuiven om te proberen de pijn in zijn rug te verlichten, terwijl hij wenste dat hij iets kon doen om hun tocht te versnellen. Zijn enige bezigheid was zich te verdiepen in de verschillende soorten vogels en bloemen en te kijken naar de donkere kop van een of ander dier dat naar zijn hol zwom.

Een deel van de dag voeren ze door girbossen en waren gedwongen een bochtige route te kiezen om de vele wortels te vermijden die zich door het riviertje kronkelden.

Toen ze in de open moerassen kwamen, nam Forollkin de tweede riem weer ter hand. Zijn armen deden pijn van de inspanning en zijn handen waren één en al blaren.

Gidjabolgo was er nog erger aan toe.

'Hoe lang zal Ibrogdiss de achtervolging volhouden?' vroeg Forollkin.

Dau haalde zijn schouders op. 'Drie dagen misschien, of vier, niet langer. Ze moeten gauza plukken.'

'En denk je dat we hem zo lang vóór kunnen blijven, zelfs met het voordeel dat we nu hebben?'

'Ik weet het niet, heer, onze boot is zwaar en wij zijn te langzaam omdat...'

'Gidjabolgo en ik het pagaaien niet gewend zijn,' maakte Forollkin de zin af. 'Tja, als het ergste komt konden we beter aanleggen op een plek die te verdedigen is. Jij hebt een boog...'

'Heer,' zei Dau vlug, ik heb nagedacht. Er is een weg die we kunnen nemen waar de anderen ons niet zullen volgen.'

'Welke weg?'

Dau wees naar de donkere bossen in de verte aan hun rechterhand.

'Yalg,' zei hij, 'maar 's nachts slapen de zzaga's allemaal behalve de bewakers van de nesten en als de maan goed is...'

Forollkin wierp een blik op zijn broer. 'Mij goed, dan de yalgbossen maar.'

Toen het avond werd vond Dau een stuk vaste grond en ze stapten allemaal uit de boot. De Friaan sneed twee lange stevige rietstengels en daarover drapeerde hij het net waarop ze hadden gezeten. Het hele net behalve één stuk maakte hij vast aan houten haakjes die vlak boven de waterlijn opzij van de boot zaten. Toen ze weer in de boot zaten, werd het net juist zoveel losgemaakt dat de twee riemen in het water konden worden gestoken.

Lilahnee verfoeide de kooi van het fijnmazige net en spartelde in Kerisj' armen. 'Als ze dat net kapotscheurt met die stomme klauwen...' begon Gidjabolgo, zijn hand op het mes in zijn gordel.

'Ik zal haar rustig houden,' beloofde Kerisj.

Het was nu donker en ze aten weer een brood, wachtend tot de maan opkwam.

Dau prevelde gebeden terwijl de anderen aten, tot Gidjabolgo abrupt zei: 'Als je had gewild dat de goden je zouden redden had je bij Ibrogdiss moeten blijven. De goden redden degenen die zich nooit in gevaar begeven.'

Het was te donker om het gezicht van de Forgiet te zien en Dau snapte er kennelijk niets van.

'Vindt u dat ik slecht ben omdat ik weggelopen ben van mijn meester?'

'Ik vind dat je slecht bent omdat je hem ooit hebt gediend,' mompelde Gidjabolgo. 'Vertel me eens, wat gebeurt er daarna met jou als de zzaga's ons allemaal vermoorden?'

'Daar mag ik in het bijzijn van de heren niet over spreken,' fluisterde Dau.

'Je bedoelt dat je het niet zo prettig vindt tegen hen te zeggen dat er geen hoop voor hen is, hoewel de goden een heerlijk nieuw leven voor gehoorzame slaven in petto hebben?'

'Wat meesters hebben is hier...' begon Dau voorzichtig.

'Wat jij hebt is hier!' snauwde Gidjabolgo. 'Jij en je broers vergooien je leven voor een droom. Een droom als gauza die zoetheid brengt in vertwijfeling.'

'Nee, de goden...'

'Jullie goden zijn de kooplieden-jagers...'

'Gidjabolgo, houd daarmee op!'

De Forgiet wendde zich tot Kerisj. 'Vergeef mij, meester. Ik wist niet dat u de goden van Lan-Pin-Fria vereerde. Ik probeerde alleen een vervelende tijd te verdrijven met aangenaam gekout...'

'De maan komt op,' zei Forollkin.

Ze namen hun plaatsen in en ongeveer een kwartier lang voeren ze door open land naar de yalgbossen. Dau keek ongerust voor zich uit. Als enig obstakel de vaargeul versperde zouden ze moeten omkeren, áls er ruimte voor was.

Lilahnee leek te slapen. Kerisj zat op de kist en zijn haar raakte het net. Bij het eerste geluid van een zzaga zou hij zich klein moeten maken met zijn hoofd in zijn schoot, want anders zou het insekt hem door het net heen kunnen steken.

Zijn ogen pasten zich aan het donker aan en hij kon de yalgbomen zien die het vale maanlicht verduisterden. Boven de zachte plons van de riemen en het geluid van zijn eigen ademhaling uit hoorde Kerisj een zwak gezoem. Het was niet zo dreigend als de laatste keer dat hij het had gehoord, maar het bracht het geschreeuw van de stervende Friaan weer in herinnering.

Ze waren nu onder de bomen en het leek pikdonker. De stroom was smal maar diep en de takken die zich eroverheen sloten telkens het licht buiten. Dau nam de peddel van Forollkin over en stuurde hen om een drijvend stuk hout heen. De lucht van gauza was flauw maar doordringend.

Opkijkend zag Kerisj een van de orchideeën in de vork van een boom groeien. De felle kleuren werden door het maanlicht verzacht, maar de tekeningen op de bloemblaadjes leken op bloederige vingerafdrukken. Hoeveel mensen waren in de loop der eeuwen gestorven voor dit soort bloemen?

Tien minuten lang gleed de boot voort. Eens dachten ze dat een boven het water hangende tak te laag was om hen te laten passeren. Heel voorzichtig trok Forollkin de rietstengels weg die het net ophielden, liet het een stukje zakken en ze konden er onderdoor.

Het zachte gegons werd luider toen de stroom hen tot vlak bij het nest zelf bracht. Kerisj was bang om er tussen de bomen door naar te kijken, alsof zelfs een blik de zzaga's al op hun aanwezigheid attent kon maken.

Ze waren dicht bij de rand van het bos toen ze allemaal een verandering in het gelijkmatige gegons hoorden. Het was dichterbij, luider, dringender.

Dau hield op met pagaaien en liet de boot drijven en Kerisj zag een groene flits tussen de bomen. Het was een eenzame zzaga die in kringen rondvloog. Eerst scheen hij hun aanwezigheid niet te hebben gevoeld, maar toen botste de boot tegen de ene oever. Dau duwde hen gauw weer af, want ze waren gevaarlijk dicht bij een stekelige wirwar van struiken die het net zou kunnen scheuren.

De zzaga verkleinde zijn kring en vloog over het water, over de boot. Kerisj dook weg en drukte zijn gezicht in Lilahnee's vacht. Het gegons veranderde in een woest staccato. Kerisj wist dat het insekt hen had gehoord en verwachtte elk ogenblik het ondier tegen het net te voelen fladderen, maar het lawaai trok zich al wat terug.

'Het moet de soldaten van het zzagavolk zijn gaan halen,'

fluisterde Dau. 'We moeten ons haasten.'

De boot kreeg een schok toen Dau en Gidjabolgo hun riemen in het water staken. Ze hadden misschien een minuut voor het gegons weer aanzwol en een tiental zzaga's met de brede groene strepen van de soldaten tussen de bomen door op de boot aanstoof.

Lilahnee gromde protesterend toen Kerisj zich tegen haar aandrukte om weg van het net te komen toen de woedende insekten zich erop wierpen. Gidjabolgo pagaaide niet meer, maar Dau siste een bevel en de boot ging weer vooruit. De zzaga's volgden. Forollkin lag op zijn knieën om de rietstengels rechtop te houden.

Ze kunnen niet bij ons komen, dacht Kerisj, tenzij een tak het net kapotscheurt. Maar als we ergens blijven steken, zijn er overdag honderden. We zouden nooit kunnen uitstappen om de boot los te trekken. We zouden verhongeren tot we nog liever door hun steken zouden sterven.

Dau en Gidjabolgo pagaaiden gelijkmatig verder, maar Kerisj zag met gefascineerd afgrijzen dat drie zzaga's hun poten in het net haakten, enige centimeters van zijn gezicht vandaan. Ze zwermden eroverheen terwijl ze woest zoemden en naar een zwakke plek zochten.

'Houd je hoofd omlaag, Kerisj,' zei Forollkin, 'en pas op de staart van Lilahnee.'

De moeraskat blies tegen de zzaga's. Ze sloeg één keer haar nagels uit naar het net vóór Kerisj haar stevig vastpakte. Het gezoem boorde zich in zijn hoofd.

Forollkin trok de dolk van de hogepriester. Langzaam en zorgvuldig, zonder ooit zijn hand te dicht bij het net te brengen, prikte Forollkin het dichtstbijzijnde insekt met de punt van de dolk. Het beest klampte zich nog vast, maar het gezoem veranderde en Kerisj wist dat het gewond was.

De boot bonkte weer tegen de oever. Dau kon nauwelijks iets zien door de insekten die voor hem op het net rondkropen. Forollkin stak zijn hand uit en wachtte geduldig zijn kans af om elke zzaga te doorboren. Toen riep hij tegen Kerisj: 'Kun je de dolk overnemen en tegelijk Lilahnee vasthouden?'

Gidjabolgo nam een hand van zijn riem om de dolk door te geven. Kerisj ging iets meer rechtop zitten en bracht de dolk langzaam naar de dichtsbijzijnde zzaga. Hij was doodsbang dat hij het net door zou snijden, maar het was sterk en bijna een kwart van het scherpe lemmet kon door de mazen. Hij voelde hoe het in de zachte buik van het insekt drong, voelde hoe de zzaga zich kronkelde en zich daarbij onherroepelijk verwondde toen hij op de punt van de dolk heen en weer draaide.

Dit is het eerste levende ding dat ik gedood heb, dacht Kerisj. Zijn handen beefden toen hij probeerde de punt van de dolk terug te trekken en de zzaga eraf te schrapen.

Verscheidene zzaga's die Forollkin had gewond waren nu dood van het net gevallen. Het gezoem was nog woedend, maar 's nachts sliep het volk en er waren maar weinig bewakers. Kerisj reeg een tweede en een derde insekt aan de dolk. Hij kon hen heel duidelijk zien en opeens besefte hij wat dat betekende. Ze waren uit het bos.

Vier of vijf zzaga's hingen nog aan het net, met wat meer gewonde insekten erbij. Ondanks de steeds erger wordende pijn in zijn gebogen rug wachtte Kerisj rustig op elk insekt dat binnen zijn bereik kroop terwijl ze koortsachtig naar een opening in het net zochten. Het was nu bijna een plezier de dolkpunt doel te voelen treffen.

Ze voeren nu door rietbosjes en Kerisj vroeg zich af hoe ver de insekten hen zouden achtervolgen.

Dau scheen zijn gedachte te beantwoorden. 'We moeten ze allemaal dood maken, anders blijven ze eeuwig aan het net hangen.'

Er ging nog een uur voorbij voordat ze er zeker van waren. Zelfs toen durfden ze het net niet omlaag te halen en op droog land te kamperen. Afschuwelijk ongemakkelijk zaten ze op een kluitje in de boot voor de rest van de nacht.

Zodra het licht werd pagaaide Dau hen naar een girheuvel en ze stapten uit de boot. De Friaan wikkelde lappen om zijn handen voor hij het laatste dode insekt verwijderde en het net opvouwde.

Kerisj stond zijn rug te wrijven. Rechtop staan deed pijn en hij had het koud en was moe en hongerig, maar hij glimlachte toen Dau zei: 'Nu zullen ze ons niet vangen.'

4
Het Boek der Keizers: *Geheimen*

En Kal-Vairn bouwde een grote muur, niet om een scheiding te maken tussen de twee volken, maar om de kloof te tonen die al tussen hen lag en het gevaar van hem te overbruggen.

Op hun derde dag in Lokrim had Dau twee Frianen gevonden die bereid waren de reizigers naar het noorden te brengen. Forollkin ging met Dau mee om bij de langdurige onderhandelingen te helpen en nieuwe mantels en laarzen te kopen voor het lopen in de heuvels.

Kerisj en Gidjabolgo bleven achter in het huis van een leerbewerker die Dau's oom was. Er waren maar twee kamers en het hele huis stonk naar de huiden die op het erf geprepareerd werden.

De reizigers bewoonden het vrouwenvertrek, een hoop kussens achter een haveloos scherm. Dau's moeder was in dat hok geboren en als slavin verkocht na een slecht handelsjaar. Dat was het gewone lot van dochters van handwerkslieden en Dau scheen er geen aanstoot aan te nemen.

Na de ongemakken van hun tocht had het huis van de leerlooier eerst een oase geleken. Nu verveelden ze zich en snakten ernaar weer verder te trekken.

Dau en Forollkin kwamen op tijd terug voor het armzalige maal van droog brood en gekookte yalgwortels. Forollkin liet zich op de stoffige kussens vallen.

'Nou, we hebben een paar boten gehuurd en twee Frianen als roeiers, Aüg en Lel.'

'Lal,' verbeterde Dau. 'Het zijn broers.'

'Ja. Lal. Ze spreken niet veel Zindars, maar ze kennen de weg naar het noorden. Ze zullen ons zo ver brengen tot we de plek bereikt hebben waar de Pin-Fran onder de grond verder loopt; de Verboden Heuvel.'

'Waarom verboden?' vroeg Kerisj.

Dau keek alsof hij zich niet op zijn gemak voelde. 'Frianen gaan nooit verder dan die heuvel. De moerasgoden verbieden het. De broer van mijn moeder zegt dat zij die de heuvel beklimmen, niet meer terugkeren. Heren, in het noorden is niets behalve rivieren en gras en de hoge heuvels. Ga niet. Ik zal een schip zoeken dat u naar het zuiden brengt, terug naar uw eigen land.'

Forollkin glimlachte. 'Maak je maar niet ongerust. We zijn geenszins van plan jou over die verboden heuvel mee te sleuren. We zullen je genoeg goud geven om waar ook in Fria een nieuw leven te beginnen.'

'Ons zal niets overkomen,' verzekerde Kerisj de ongeruste Friaan. 'Onze geest zendt ons over die heuvel en je weet dat hij machtig is.'

Dau wroette in zijn lendendoek en haalde het zelstuk te voorschijn. 'Maar u zult deze amulet nodig hebben.'

Kerisj lachte tegen hem. 'Nee, houd hem om je altijd te beschermen?'

'Ik zal hem niet nodig hebben voor wat mij te doen staat,' zei Dau, 'maar ik zal hem houden.' Hij keek naar de gouden en purperen veer in zijn hand. 'Heren, mag ik spreken?'

'Zeg wat je wilt en we zullen je dankbaar zijn voor je raad,' beloofde Forollkin, 'maar wij moeten naar het noorden gaan.'

'Heren, u zou de lelijkerd niet moeten meenemen,' begon Dau. 'Hij verheft zijn stem tegen de goden en zal u ongeluk brengen.'

'Ik heb mijn hele leven ongeluk gebracht,' zei Gidjabolgo kalm. 'Dat ontken ik niet.'

Forollkin zuchtte. 'We zijn door een eed gebonden Gidjabolgo mee te nemen en we zouden hem hoe dan ook niet in het hart van Fria in de steek kunnen laten.'

Dau boog zijn hoofd. 'Ik heb gezegd.'

Kerisj verbrak de onbehaaglijke stilte. 'Wanneer vertrekken we?'

'Morgen,' zei Forollkin, 'vroeg.'

Ze werden niet lang na het eerste licht wakker door de geluiden van de straat, maar Dau was al verdwenen. Eerst dachten ze dat hij uitgegaan was om meer proviand te kopen. Hij had een boodschap voor de reizigers bij zijn oom achtergelaten, maar het duurde de nodige minuten voordat Forollkin die begreep.

Gidjabolgo was bezig zijn bagage te pakken en Kerisj kalmeerde de moeraskat toen Forollkin weer achter het scherm verscheen. Kerisj keek naar het sombere gezicht van zijn broer.

'Wat is er gebeurd?'

'Dau is teruggegaan naar Ibrogdiss.'

'Ik begrijp het niet,' zei Kerisj beduusd.

'Hij heeft de rieten boot genomen.' Forollkin klonk alsof hij het nog steeds niet kon geloven, 'en roeit stroomafwaarts om zijn meester te zoeken.'

'Maar Ibrogdiss zal hem toch zeker nooit vergeven.'

'Onze gastheer zegt dat de gebruikelijke straf voor zo'n ongehoorzaamheid het verlies van de linkerhand is,' zei Forollkin, 'of van neus en oren.'

'Hij verdient het,' mompelde Gidjabolgo wonderlijk heftig. 'Ze verdienen het allemaal.'

'Zouden we hem niet achterna kunnen gaan,' vroeg Kerisj dringend. 'Proberen of we hem kunnen inhalen.'

'Hij heeft twee uren voorsprong,' antwoordde Forollkin, 'en zijn oom zal ons niet willen helpen. Hij schijnt te vinden dat Dau gelijk heeft met terug te gaan. Het enige dat onze gastheer wel wil doen is ons naar de steiger brengen en ervoor zorgen dat wij naar het noorden kunnen gaan.'

De rest van hun voorbereidselen werd zwijgend gemaakt en het was een somber groepje dat naar de steiger liep. Twee Frianen wachtten er op hen in lange zwarte boten, ieder uitgehold uit een enkele boomstam. Aüg en Lal protesteerden in gebroken Zindars tegen de aanwezigheid van Lilahnee. Forollkin zei dat ze geen moeilijkheden zou veroorzaken en vergulde zijn woorden met een extra goudstuk. Dau had gezworen dat deze stugge zwijgzame mannen uit het noorden betrouwbaar waren. Forollkin bad dat het waar mocht zijn.

Gidjabolgo stapte in de ene boot met het merendeel van de bagage, Kerisj, Forollkin en Lilahnee stapten in de andere. Dau's oom ging er haastig vandoor, kennelijk blij dat hij van zijn bezoekers af was.

De boten voeren weg van het eiland Lokrim en staken in noordelijke richting het meer over. Kerisj sloeg zijn nieuwe groene mantel om en deed zijn best niet aan Dau te denken.

Het was een saaie reis. Elke dag van de dageraad tot aan het middaguur roeiden de Frianen de smalle boomstamkano's, geholpen en soms afgelost door Forollkin en Gidjabolgo. Na een korte rust en een uit brood en gedroogd vlees bestaand maal gingen ze dan weer verder tot de avond viel. Wanneer ze een droge plek hadden gevonden om er te kamperen, schoot Aüg gewoonlijk een vogel voor het avondeten die hij roosterde boven een vuur van girtakken die Lal had geraapt.

De dagen waren warm, maar de nachten werden steeds kouder. De Frianen smeerden zich in met or-gar-gee-vet en schenen geen last van de koude wind te hebben en Lilahnee groeide als kool. Ze sliep het grootste gedeelte van de dag, ineengerold op de bodem van een van de boten en ging elke nacht op jacht. Er waren weinig ochtenden dat kerisj aan zijn voeten niet de bloederige restanten van haar vangst vond.

In het voorjaar, wanneer de sneeuw smolt en de regen kwam, was de rivier een woeste stroom en een reis stroomopwaarts zou onmogelijk zijn geweest, maar nu was het water laag en traag.

De eerste week van hun tocht maakten de rietvelden plaats voor uitgestrekte stukken verraderlijk zuiggras en mos, bezaaid met girheuvels. De tweede week was het felle groene van de moerasplanten overgegaan in het zachte grijs van vlakke graslanden die zich in de verte uitstrekten tot aan de stranden van de oceaan zelf.

Ze hadden de rand van de uitgestrekte vlakten van Erandatsjoe bereikt en Kerisj besefte dat hij voor de eerste keer het land zag waar zijn moeder was geboren.

Na nog een paar dagen waren de laatste girheuvels verdwenen en ze moesten genoeg hout meenemen om vuren van mos en gras bij te voeden. Er waren nog altijd genoeg vogels die Aüg kon schieten, maar voor Lilahnee werd de jacht minder overvloedig.

Op een ochtend, toen de nevels optrokken, wierpen de reizigers de eerste blik op de Verboden Heuvel. De hele volgende week groeide het silhouet aan de einder en af en toe vingen ze er achter een glimp op van de uitlopers van de Verste Bergen. Verscheidene keren probeerde Kerisj de Frianen aan het praten te krijgen over de Verboden Heuvel en wat zij dachten dat erachter lag. Zowel Aüg als Lal mompelden een paar woorden over gevaar en vielen terug in hun onvermogen Zindars te verstaan.

De dag dat ze de heuvel bereikten was het bijna donker geworden en de bovenste hellingen gingen schuil in mist. Zoals Dau hen had gewaarschuwd verdween de rivier in een ravijn en liep onder de grond verder.

De reizigers kampeerden in een kom die door een enkele, door de wind gebogen boom werd beschut. Na een lang en koud wachten lukte het Lal een vuur aan te maken en een koppel kleine vogels klaar te maken. Zoals gewoonlijk waren ze verschroeid aan de buitenkant en half rauw van binnen, maar de reizigers verorberden ze dankbaar.

Forollkin spreidde een mantel uit om hen tegen het vochtige gras te beschermen en een andere om als deken dienst te doen. Hij en Kerisj deelden een kussen van een opgerolde tuniek en Gidjabolgo ging dicht bij hen liggen. Ditmaal echter bleef de moeraskat bij Kerisj liggen en de Frianen zaten bij het vuur alsof ze niet van plan waren te gaan slapen.

Kerisj wist nooit precies of het het stemgeluid van de Frianen of het zachte gegrom van Lilahnee was geweest dat hem in het holst van de nacht wakker maakte. Hij stak een hand uit om de moeraskat te aaien en voelde haar haren op haar ruggegraat

knisteren. Kerisj opende zijn ogen en werd verblind d
onverwacht licht.

De donkere hellingen boven hem baadden in een b
gloed. Die brandde een paar seconden fel en verdween. K
moest plotseling denken aan de lichten die hij uit de rotsen v
Lind had zien flitsen, de lichten van Lind die mensen krankzin
nig maakten, en het felle blauw leek op zijn ogen te zijn gegrift
en volgde hem het donker in toen hij ze sloot.

Plotseling kwam Kerisj overeind en nu pas merkten de Frianen dat hij wakker was. Ze keerden de heuvel de rug toe.

'Een licht...' begon Kerisj.

'Niet kijken,' siste Aüg. 'Slapen.'

Kerisj voelde dat de warme ruwe tong van Lilahnee zijn hand likte en het licht achter zijn oogleden verdween. Het was een donkere nacht en koud. Kerisj kroop dichter tegen zijn broer aan en sliep weer in.

's Morgens heel vroeg, nog voordat de mist was opgetrokken, gingen de twee Frianen terug naar hun boten. Slechts één keer vroeg Aüg de Galkiërs met hem naar Lokrim terug te keren. Forollkin weigerde en de Frianen overhandigden de overgebleven mondvoorraad, een zak met gedroogd vlees en een zak met hard droog brood. Zij zouden op de thuisreis in hun levensbehoeften voorzien met jagen.

Forollkin was nu uitgerust met een boog, maar de Frianen konden hem niet zeggen hoe overvloedig het wild achter de Verboden Heuvel zou zijn. Gidjabolgo keek de Frianen na toen ze stroomafwaarts wegvoeren terwijl Forollkin de bagage verdeelde.

Kerisj was een eindje de helling opgelopen, met Lilahnee aan zijn zij, en staarde naar de heuvel. Niet ver van de top stond een rij zwarte zuilen, of waren het standbeelden? Ze zouden het weldra weten als ze van plan waren over de heuvel heen te trekken om de rivier terug te vinden.

Forollkin liep naar zijn broer met een zware bundel die in een mantel was gepakt. 'Hier, dit is jouw vracht.'

De prins der Godgeborenen keek hem wezenloos aan.

'Ik zal de bundel op je schouders binden,' vervolgde zijn broer opgewekt, 'zodat je armen vrij zijn voor het klimmen. Hou even vast.'

Kerisj wankelde onder het gewicht.

'Forollkin, heb je je verstand verloren? Ik moet mijn zildar dragen. Geef dit maar aan Gidjabolgo.'

'Die heeft al meer dan genoeg te dragen en ik ook. Draag je eigen bagage of laat hem achter.'

Terwijl Forollkin wegliep, won Kerisj' boosheid het van zijn

..g. 'Forollkin, kom terug, kom terug!'

..onge kapitein negeerde zijn broer. 'Gidjabolgo, ben je ..d?'

..e Forgiet knikte en keek nieuwsgierig naar Kerisj. 'Slikt on.. prins zijn trots in of stikt hij erin?'

Forollkin hing zijn boog zó dat de bundel op zijn rug er niet tegen aan zou schokken en liep de heuvel op. Gidjabolgo volgde grinnikend. Toen Kerisj besefte dat ze hem werkelijk achterlieten, sjokte hij hen achterna terwijl Lilahnee hem op de voet volgde en het natte gras besnuffelde.

Toen hij zijn broer eindelijk had ingehaald had hij allerlei onweerlegbare argumenten bedacht, maar die werden uit zijn gedachten gevaagd door Forollkins plotselinge uitroep van afkeer.

Gidjabolgo was blijven staan, maar Kerisj holde de laatste paar meter om zich bij zijn broer te voegen bij de laagste van de kring zwarte zuilen.

'Wat is er, wat is er aan de hand?'

'Daarbinnen is iets, iets dat er niet meer uit kan. Nee Kerisj, niet kijken!'

Maar Kerisj staarde al naar de zuil. Een lichtstraal drong in de donkere steen binnen en hij kon net een vage gedaante ontwaren; lange handen, een schedel zonder ogen, een mond verwrongen in een zwijgende schreeuw.

'Een speling van het licht,' snauwde Gidjabolgo en duwde de prins langs de zwarte zuil.

Even had hij het gevoel of hij viel en niet meer zou kunnen terugkeren op de schrede die hij zojuist had gedaan.

Naast hem had Gidjabolgo een eigenaardige kleur. Forollkin aarzelde aan de andere kant van de zuil en Lilahnee gromde. Kerisj riep haar, maar ze scheen het niet te horen. Ze deinsde achteruit, weg van de zuil, met de oren plat tegen haar kop.

'Til haar op, Forollkin, we zullen haar een eindje moeten dragen.'

Forollkin gehoorzaamde en het gekrab van de moeraskat scheen zijn zelfvertrouwen te herstellen. Hij stapte langs de zwarte zuil en zette haar bij de voeten van zijn broer op de grond.

'Ze wordt te groot om gedragen te worden. Vooruit, laten we het uitzicht van de top gaan bekijken.'

Toen ze de top bereikten had Kerisj snerpende pijnen in zijn borst en Gidjabolgo hapte naar lucht, maar dergelijke kleine ongemakken waren gauw vergeten door het wonder dat ze zagen.

De Verste Bergen, nog half omfloerst door nevel en onvoor-

stelbaar groot: de noordelijke grens van de wereld.
'Wel,' zei Forollkin, 'het zal koud worden.'
Langzaam liepen ze de noordhelling van de Verboden Heuvel af naar het smalle dal waar de rivier doorheen stroomde voordat hij onder de grond verdween. Nadat ze een steile glooiing waren afgeklauterd kozen ze een stenig pad naast het sprankelende, voortsnellende water.
'Nu, de koning van Ellerinonn zei dat wij de rivier moesten volgen tot aan de voet van de bergen,' zei Kerisj. 'Dat moet gemakkelijk genoeg zijn.'
'En dat zijn alle instructies die je hebt?' vroeg Gidjabolgo ongelovig.
'Ja, dat is alles,' zei Forollkin, die probeerde de afstand te schatten naar de dichtstbijzijnde berg en de citadel Tir-Zulmar. 'De dagen zijn lang. Ik zal licht nodig hebben om te jagen, maar misschien spelen we het klaar per dag negen of tien uur te lopen.'
'Tien uren!' riep Kerisj uit.
'Met één rustpauze op het middaguur,' zei Forollkin kordaat. 'Jij en Gidjabolgo moeten nodig allebei wat gehard raken als we de bergen ooit willen bereiken.'
Die hele dag liepen ze. Forollkin spoorde zijn metgezellen voortdurend aan door een eind vooruit te lopen, over rotsblokken te klauteren en de gemakkelijkste paden te zoeken. Toen het schemerig werd schoot hij een broodmagere vogel die Gidjabolgo plukte en roosterde boven een vuurtje van takjes en dor gras. Het vlees smaakte bitter. Lilahnee weigerde het aan te raken en ging erop uit om zelf te fourageren.
Kerisj liet de last van zijn pijnlijke schouders glijden en baadde zijn voeten vol blaren in de rivier. Alleen wrok had hem de hele lange dag op de been gehouden. Forollkin gaf hem de beste delen van het vlees en verbond voorzichtig zijn voeten. 'Ik zal toch nog een krijgsman van je maken,' zei hij.
De volgende morgen was Kerisj bij het wakker worden geradbraakt en zijn spieren protesteerden tegen de minste beweging. Gidjabolgo was er niet veel beter aan toe en mompelde duistere Forgietvloeken toen hij zijn vracht weer op de schouders nam.
Forollkin dwong zijn metgezellen toch het grootste gedeelte van de dag door te lopen. Zodra ze halt maakten viel Kerisj in slaap en de Forgiet rolde zich op tot een bal en weigerde zich te verroeren.
Hoewel doodmoe zocht Forollkin voldoende hout bijeen voor een vuur, weekte het harde brood om het smakelijker te maken en verdeelde de rest van het koude vlees. Hij wekte Ke-

risj en Gidjabolgo om hen te laten eten en verspreidde de as van het vuur zodat zij erop konden slapen.

Forollkin had liever een wacht uitgezet, maar de anderen waren kennelijk te vermoeid om hun beurt waar te nemen. Hij ging naast zijn broer liggen met zijn hand op het gevest van zijn zwaard, de moeraskat tussen hen in.

Kerisj werd lang voor de dageraad wakker. De wind was gaan liggen en de nacht was bijna onnatuurlijk stil, maar in de verte klonk muziek. Tenminste, dat was zijn eerste gedachte. Toen hij klaar wakker overeind ging zitten, klonk het meer als het gehuil van een dier dat pijn had of verdriet. Kon een dier verdriet voelen? Nu hij aandachtig luisterde wist hij niet waarom hij het geluid eigenlijk treurig had gevonden. Het complexe gebroken ritme leek elke zenuw van zijn lichaam strak te spannen. Om de paar tellen heerste er stilte en die stilte leek sterker dan het geluid, maar hij kon geen hoogte van de cadans krijgen, hoewel zijn vingers erop bewogen.

Opeens wist hij dat hij het geluid verafschuwde, maar hij moest te weten komen door wat het werd gemaakt. Kerisj maakte aanstalten onder de mantel uit te glippen die hij met Forollkin deelde, maar het was Gidjabolgo die het eerst waggelend op de been was en versuft in de richting van het geluid liep.

Dat bracht Kerisj met een ruk tot bezinning. Hij sprong op en schudde de Forgiet bij de schouders heen en weer. 'Nee, Gidjabolgo!'

Hij keek de prins wezenloos aan. 'Ik moet er dichterbij komen.' Het lichaam van de Forgiet deinde op de cadans van de stem in de verte.

Kerisj pakte zijn zildar en zijn verkleumde vingers hieven hakkelend de melodie van een Galkische hymne aan. Hij speelde zo luid als hij kon, neerkijkend op het vergulde hout, en dwong zijn handen niet af te dwalen naar het spookachtige ritme dat nog steeds door zijn hoofd waarde.

Forollkin kwam overeind en knipperde de slaap uit zijn ogen.

'Bij de borsten van Idaala, Kerisj, wat doe je daar? Als het je niet kan schelen dat je je eigen rust opoffert zou je een beetje aan de mijne kunnen denken.'

Kerisj hield op met spelen. 'Hoor je het niet? Nu is het heel zacht, maar...'

'Een wild dier dat zijn haat voor de mens uitjankt,' viel Gidjabolgo hem in de rede en ging bij hen zitten. 'Mijn meester heeft het verjaagt met zijn muziek.'

'Jullie zijn allebei slaapdronken,' zei Forollkin en draaide zich om met zijn rug naar Kerisj.

De prins keek even naar de Forgiet en kroop toen dichter naar zijn broer, terwijl hij zijn hoofd onder de mantel stopte.

Bij zonsopgang stond Forollkin op en nam een bad in de ijskoude rivier. Hij wekte zijn metgezellen en ze begonnen aan de dagelijkse mars. Ze trokken door een uitgestorven land van vale heuvels, door de wind gegeselde bomen en talloze stromen. Ondanks het bleke zonnetje scheen het elk uur kouder te worden.

Forollkin vond het toch te verkiezen boven de moerassen en floot Jenozaanse marsliedjes onder het voortstappen over de rotsachtige paden. Kerisj en Gidjabolgo waren allebei heel stil. Lilahnee sprong voor hen uit; ze groeide snel en haar vacht kreeg een zijdeachtige glanzend groene kleur.

Op het middaguur maakten ze halt in een beschutte kom om het magere rantsoen van gedroogd vlees te eten dat Forollkin hen toestond. Later, toen de anderen rustten, dwaalde Forollkin wat van het pad af en beklom een nabije heuvel.

'Kerisj, Gidjabolgo,' zijn stem zweefde naar hen toe, 'kom eens kijken.'

Ze kwamen langzaam aanlopen, klagend over de steile helling en staarden dan zwijgend naar het punt dat Forollkin aanwees.

Achterin een diep dal lag een reusachtige stenen pad. De gebouwen die er stonden draaiden en kronkelden zich in vormen waarin geen mens ooit had kunnen wonen. De stad werd omringd door zwarte zuilen en ertussen zaten standbeelden. Kerisj was blij dat hij ze niet duidelijker kon zien.

'Is er iets dat daarginds beweegt?' vroeg Forollkin. 'Kerisj, jouw ogen zijn scherper dan de mijne.'

'Alleen schaduwen. Het is een dode stad, al heel lang dood, vermoed ik. Kijk – er zijn scheuren in de grond en de meeste gebouwen lijken ruïnes; misschien was er een aardbeving of een overstroming.'

'Die zuilen lijken precies op die op de Verboden Heuvel,' zei Forollkin.

'Wachtposten,' prevelde Gidjabolgo, 'en niemand meer om de wacht te houden.'

'Dat wil ik hopen.' Kerisj huiverde. 'Laten we naar beneden gaan, uit de wind.'

Terwijl de dag verstreek begon Forollkin het zwijgen van zijn kameraden drukkend te vinden.

'Kerisj, heb je wat adem over voor een lied of een verhaal?'

De prins schudde het hoofd.

Vastberaden opgewekt probeerde Forollkin het nog eens.

'Gidjabolgo dan, als je een fatsoenlijk lied kunt zingen. We

weten dat je kunt spelen.'
'Mijn meesters moeten mij excuseren. Ik heb nooit geleerd fatsoenlijk te zijn.'
'En wat hebben ze je dan wel geleerd in Forgin?' vroeg Forollkin.
'Mijn medemensen uit te lachen en op de gebreken van anderen te wijzen ten vermake van mijn meester.'
'Geen baantje dat goed betaalde in dank of geld, zou ik denken.'
'Integendeel, mijn meesters betaalden altijd royaal om hun vrienden voor schut te zien staan.'
'En de vrienden?'
'Vonden afgunst heel natuurlijk voor zo'n ellendig schepsel als ik en lachten om mijn hatelijkheden,' zei Gidjabolgo.
Ze liepen zwijgend verder. Kerisj voelde zijn beurse schouders en voeten vol blaren nauwelijks meer. Hij voelde zich wonderlijk los van zijn omgeving, haast alsof hij zweefde en zich door een onzichtbare stroom liet voortdragen. Een deel van hem wist dat dit gevaarlijk was, maar hij was te moe om zich tegen het gevoel te verzetten.
De rivier maakte abrupt een bocht en verdween uit het oog. Het pad werd smaller en volgde de kromming van de berg met een afgrond van een meter of zes aan de ene kant. Forollkin ging vooruit om de weg over de glibberige rotsen te inspecteren. De anderen volgden hem op de hielen. De jonge kapitein ging met kleine stappen voorzichtig voort, de handen plat tegen de rots, toen Lilahnee een doordringend gekrijs aanhief en terugrende over het pad, waarbij ze Gidjabolgo bijna in de rivier kegelde.
Forollkin greep zijn broer beet om zich ervan te overtuigen dat hij veilig was en merkte dat Kerisj hevig beefde.
'Kerisj, je kunt niet vallen, ik houd je vast.'
'Ik kan niets zien, Forollkin, het is te donker!'
Zich verzettend tegen de paniek die in hem opwelde antwoordde Forollkin kalm: 'Hier is mijn hand, laten we dit pad nu aflopen. Dan zullen we...'
'Nee.' Kerisj rukte zijn handen los en deed wankelend een stap achteruit waar Gidjabolgo hem opving.
'Sta stil, Kerisj. Dat is een bevel.' Forollkin pakte opnieuw de handen van zijn broer.
'Sluit je ogen en doe één stapje naar voren.'
'Het is verboden.'
'Eén stap maar,' herhaalde Forollkin en ditmaal gehoorzaamde zijn broer.
Centimeter voor centimeter hielp Forollkin Kerisj langs het

smalle pad naar beneden naar de rivier.

Toen ze weer op vlakke grond stonden opende Kerisj zijn ogen.

'Voel je je nu beter?' vroeg Forollkin. 'Het is een hele tijd geleden dat je me dit aandeed.'

'De nacht van Kor-li-Zynaks presentatie.' De prins sprak zacht. 'Ja, ik voel me beter. Kijk eens achter je.'

Er gaapte een donker gat in de helling. Ervoor stonden twee zwarte zuilen en ertussen lag een lichaam.

Onwillig ging Forollkin erheen. Hij zag dat het lijk dat van een Friaan was, nog niet zo lang dood, want er waren geen sporen van ontbinding. In de ene hand klemde de man nog steeds een metalen sieraad dat fonkelde van de juwelen.

Gidjabolgo kwam aanlopen en bleef naast Forollkin staan terwijl de Galkiër neerknielde en voorzichtig het lichaam omdraaide.

De wind huilde in de tunnel en Kerisj gilde het bijna uit. De lippen van de Friaan waren strak vertrokken in de doodsgrijns en tussen zijn ogen was een verschrikkelijke wond.

'Er zit bloed op het sieraad in zijn hand,' zei Gidjabolgo.

'Dat kan hij niet zelf hebben gedaan,' protesteerde Forollkin.

'Denk je dat die tunnel leidt naar de stad die we hebben gezien?' vroeg de Forgiet. 'Willen mijn meesters hun knecht gelasten hem te begraven of zullen we verder gaan?'

Forollkin aarzelde even. 'Verder gaan,' zei hij. 'En vlug.'

Hij draaide de Friaan weer op zijn buik.

'Lilahnee...' prevelde Kerisj.

'Ze moet ons maar volgen zodra ze wil. Kom nu.'

Het tempo dat Forollkin aangaf was martelend snel, maar geen van zijn metgezellen beklaagde zich.

Tegen het vallen van de avond waren ze een mijl of vijf van het dal van de stad verwijderd. Ze hielden halt in een kom dicht bij stromend water. Het was te donker om hout te sprokkelen voor een vuur en ze zaten dicht bijeen stukjes gedroogd vlees en verkruimeld brood te eten.

Zo moe als ze waren, toch konden ze de slaap niet vatten en Forollkin verbrak het gespannen zwijgen.

'Kerisj, jij weet meer van geschiedenis dan ik. Hebben de priesters je ooit iets geleerd over dit land?'

'Niets, maar ik heb wel gepiekerd over de Westelijke Muur.'

Gidjabolgo kon kennelijk evenmin in slaap komen. 'Welke muur is dat?' vroeg hij.

'De muur die langs de westgrens van het rijk loopt,' antwoordde Kerisj, 'langs Morfolk en Tryfanië van de bergen in het noorden naar Fangmere. Hij werd gebouwd door de kleinzoon van Mikkeld-lo-Taan, de eerste keizer. Geen van onze andere grenzen is zo beveiligd, maar welke vijand in onze hele geschiedenis is ooit uit het verre noordwesten gekomen? Misschien geeft het Boek der Geheimen een reden op voor de muur, maar die ken ik niet.'

'En wie mag dit Boek der Geheimen lezen?' informeerde Gidjabolgo.

'De regerende keizer, hogepriester en priesteres; niemand anders.'

'Denk je dat de muur misschien gebouwd werd om wat er ook in die stad leefde buiten te houden?' ging Forollkin verder. 'Wel, dat is misschien zo, maar ik wou dat de keizer zijn muur in Jenoza had gebouwd om de Vijf Koninkrijken buiten te sluiten.'

'Het vreemdste van alles,' zei Kerisj slaperig, 'is dat Galkis leeg was toen de eerste schepen kwamen en waar kwamen die schepen vandaan? Waar zijn wij vandaan gekomen?'

'Uit een ander deel van Zindar, vermoed ik,' zei Forollkin, 'hoewel zelfs de priesters het niet schijnen te weten.'

'Jullie zijn niet uit Forgin gekomen,' prevelde Gidjabolgo. 'Onze legende is vrijwel dezelfde als die van jullie, zij het dan zonder een god om ons aan de wal welkom te heten. Een lange zeereis en een leeg land.'

Forollkin geeuwde. 'We moeten de tovenaar vanTir-Zulmar maar om een antwoord op dat raadsel vragen.'

'Als je de prijs voor kennis kunt betalen,' zei Gidjabolgo. 'Hebben jullie mysteries die je kunt ruilen? Ik denk van niet, hoewel misschien de prins...'

'Ik weet zeker dat jij genoeg mysteries voor ons alle drie hebt,' viel Forollkin hem in de rede. 'Laten we in Zeldins naam eindelijk eens gaan slapen.'

Ze sliepen tenslotte werkelijk, zo diep dat het een uur na zonsopgang was toen Gidjabolgo met een schreeuw wakker werd omdat Lilahnee in de kom sprong en over de anderen stapte om Kerisj' gezicht te likken.

Forollkin ging vloekend opzitten en wreef zijn maag, want de moeraskat was niet langer een lichtgewicht. Kerisj omarmde haar en Lilahnee deinsde blazend achteruit, maar ze hield haar nagels ingetrokken en ze had hen een dikke skonvogel gebracht, zodat ze een stevig ontbijt hadden.

De verdere dag hielden ze zich nauwkeurig aan het pad en klommen geen helling op om te zien of er nog meer in puin gevallen steden waren.

Kerisj voelde zich prettiger toen de rivier wegdook en de rotsen aan weerskanten zo hoog werden tot ze in een ravijn liepen. Eindelijk waren ze uit de wind, maar na twee dagen werd Forollkin bang dat het pad zou kunnen verdwijnen en dat ze niet genoeg proviand meer zouden hebben.

Er bleek een smalle strook te zijn die steeds tussen de rivier en de rots liep en eruitzag alsof het de rest van een oude weg was, maar er groeide niets in het ravijn behalve mos en varens die te nat waren om te kunnen branden. Evenmin viel er iets te schieten en ze waren genoodzaakt zich te voeden met de inhoud van de steeds leger wordende zak met hard brood en gedroogd vlees.

Lilahnee ving kleine slijmerige rivierdiertjes en die verslond ze grommend van afkeer. Eens vingen Forollkin en Gidjabolgo wat visjes in een plas en aten ze rauw op. Zijn honger hautain negerend weigerde Kerisj ze aan te raken.

Op hun zevende dag in het ravijn hoorden ze in de verte een geklater dat uitgroeide tot een donderend gebulder toen ze dichterbij kwamen. Op het middaguur stonden ze onder een grote waterval en waren gedwongen het steile en glibberige pad te beklimmen dat erlangs liep. Ze hadden een uur nodig om de top van de rots te bereiken en opeens stonden ze weer in de wind.

Kerisj en Gidjabolgo waren doodmoe. Het was Forollkin die hen dwong droge kleren aan te trekken, die takjes en handenvol gras ging halen en tegen de wind vocht om een vuur te stoken. Hij mompelde een kort gebed tot Imarko en greep zijn boog om op wild te gaan jagen. Hij had bijna meteen geluk en schoot een klein dik dier dat te dom scheen om ervandoor te gaan. Hij vilde het haastig en roosterde het op een stok. Toen het gaar was, wekte hij de anderen en gaf hen de beste stukken. Ze brandden hun vingers toen ze het hete vlees aan stukken trokken en ze kloven de botten kaal. Te moe om verder te gaan en een schuilplaats te zoeken vielen ze op de winderige top in slaap.

Kerisj werd wakker toen Lilahnee van haar jacht terugkwam, nog voor het licht werd. Hij lag naar de hemel te kijken en vergat de kou in een poging elke ster een naam te geven. Er was er een waarvan hij niet zeker was. Het kon Kesjnarmeynee zijn, de ochtendster, want hij was heel helder, maar beslist te laag aan de hemel.

Hij dacht dat diezelfde sterren nu Galkis beschenen. Het zou late herfst zijn in de tuinen van zijn vader, de tijd van het Haarfeest, wanneer de lok van Imarko's haar, die in de tempel in Hildimarn werd bewaard, het volk werd getoond. Elke dame met zwart haar in het land knipte een eendere streng af om die op de velden te verspreiden. Hij had gehoord dat op het platteland de vrouwen achterna werden gezeten en zich quasi verzetten voordat ze de jongemannen van het dorp toestonden hun haar te knippen. Zoiets vrolijks had nooit in het paleis plaatsgevonden. Kerisj' gedachten zwierven door de Binnenstad terwijl hij de snelle zonsopgang van noordelijke streken gadesloeg.

Het licht wekte Forollkin. Hij stond op en inspecteerde het land dat voor hen lag. Op vale grijze heuvels stonden eindeloze rijen schrale bomen als wachters tegen de sneeuwgrens.

Ze hadden nog rantsoenen over voor drie of vier dagen.

'Ik wou bij Zeldin dat we wisten hoe lang we erover zullen doen om Tir-Zulmar te bereiken,' zei Forollkin hardop.

'Elmandis zei alleen dat we de rivier moesten volgen,' antwoordde Kerisj, 'en dat *moet* alles zijn wat we te doen hebben.'

Dus volgden ze de rivier toen die slonk tot een bergbeekje.

Kerisj herinnerde zich nooit veel van deze reis behalve de onontkoombare kou. Geen mantel kon de ijzige wind buiten houden. Wanneer ze wel genoeg hout vonden voor een vuur gaf het nooit voldoende warmte om de martelende kou uit hun handen en voeten te verdrijven. Voor Forollkin viel er weinig te schieten. Eens vond Gidjabolgo wat bessen, maar hij propte ze gauw in zijn mond voordat de anderen ze zagen. Lilahnee's ribben waren door haar vacht heen te zien. Ze gromde als de prins haar wilde aanhalen, maar ze bleef bij hen.

Op de vierde dag hadden ze hun laatste mondvoorraad opgegeten en toen ze de volgende avond de sneeuwgrens bereikten, wist Forollkin dat ze moesten omkeren. Maar misschien was het al te laat. Kerisj zag eruit als een wandelend spook.

'We kunnen niet verder,' schreeuwde Forollkin tegen de wind in. 'We moeten omkeren, afdalen naar waar bomen staan of we zullen bevriezen.'

'Nee, Forollkin, we *moeten* verder. De rivier is er nog steeds onder de sneeuw. We zijn er bijna. Dat wéét ik.'

Kerisj begon de helling op te sjokken, hoewel de sneeuw op sommige plaatsen kniehoog was. Lilahnee volgde hem, achterdochtig dat vreemde nieuwe witte spul besnuffelend.

'Kerisj, kom terug! Het is bijna donker en je ziet dat er een storm opsteekt.'

Forollkin gaf het roepen op en ging Kerisj achterna. Gidjabolgo liet zich op de grond vallen aan de rand van de sneeuw. Het was hard gaan sneeuwen en de wind ving de dikke vlokken en wierp ze in de gezichten van de reizigers.

Half verblind verloor Forollkin Kerisj uit het oog en in het geloei van de opstekende storm ging zijn geschreeuw verloren. Hij struikelde en stapte in een hoge hoop sneeuw en terwijl hij

zich inspande om er weer uit te komen vroren zijn kletsna
kleren aan zijn lichaam vast.

Hoger op de helling dwong Kerisj zich verder te gaan tot zijn knieën eensklaps bezweken en hij in de sneeuw in elkaar zakte. Zo uitgeput als hij was kroop de prins toch op handen en voeten verder. Zijn handen waren zó koud dat hij ze niet meer voelde. Hij wilde gaan liggen om uit te rusten, maar hij wist dat dit fataal zou zijn. Zijn wimpers vroren aan elkaar maar nog steeds keek hij omhoog in de voortjagende sneeuw.

Een eindje boven hem scheen een zilver licht door de sneeuwstorm. Hij had de eigenaardige overtuiging dat het voor hem scheen, om hem naar de bron van de rivier te leiden. Als hij die eenmaal had gevonden zou hij veilig zijn, dat wist hij, maar hij kon niet meer. Hij had het te koud, hij was te uitgeput.

'Zeldin, Imarko, help mij. Ik moet het doen. Ik moet.'

'Kerisj' adem bevroor terwijl hij sprak, maar hij kroop verder en het licht kwam dichterbij. Toen de sneeuw een paar seconden van hem wegdwarrelde zag hij dat het licht uit een zilveren deur in de berghelling kwam.

Ik moet dood zijn, dacht Kerisj kalm.

Even voordat hij het bewustzijn verloor stak de prins zijn handen uit en zijn vingertoppen raakten de zilveren deur aan.

5
Het Boek der Keizers: *Smarten*

Al bouwt ge uw huis in de verste woestijn of misschien op de hoogste berg, toch zullen de smarten van de wereld altijd bij u zijn. Evenmin kan ware vrede worden gevonden in eenzaamheid, want ze moet gedeeld worden om tot vervulling te komen.

Gekoesterd door warmte lag de prins der Godgeborenen te slapen, hoog boven de vlakten van Erandatsjoe. Toen hij eindelijk wakker werd en zijn ogen opende, bevestigde dat wat hij zag zijn mening dat hij dood was. Kerisj lag op een laag bed in een in ijs uitgehakte ronde kamer. De wanden waren doorschijnend en vertoonden een wisselende kleurenpracht in de ochtendzon die er doorheen filterde. Ingewikkelde figuren waren in het plafond geëtst en versierd met ijskristallen.

Kerisj rilde bij het aanschouwen van de koude schoonheid van het vertrek en kwam overeind. Forollkin en Gidjabolgo lagen aan weerskanten van hem te slapen onder spreien van bont en Lilahnee lag aan zijn voeten.

Kerisj glipte uit bed. Iemand had zijn kapotte reiskleren vervangen door een zacht kleed van glanzende blauwe, met zaadparels geborduurde zijde. De vloer glinsterde van vorst, maar Kerisj' blote voeten voelden geen kou. Hij liep de kamer door en vond een gewelf waarvoor een met juwelen versierd gordijn hing. Erachter lag weer een kamer, gemeubeld met drie stoelen en een lange tafel gedekt met dampende schalen met verleidelijke spijzen en karaffen vol wijn. Kerisj liep terug door het gewelf en schudde zijn broer wakker.

'Kerisj, vervloekt, kom terug...' Forollkin bleef steken en keek met grote ogen om zich heen. 'Waar zijn we in Zeldins naam?'

'Ik weet het niet. Ik ben zelf net wakker geworden, maar er staat eten in de kamer hiernaast.'

'Ik herinner me de sneeuwstorm,' zei Forollkin slaapdronken, 'en dat ik in een hoge sneeuwhoop viel en...'

'Dat je hier wakker werd,' maakte Kerisj de zin af, 'gekleed als een Losjiet.'

Forollkin zag dat hij een nauwsluitend kleed van amberkleurige zijde aan had.

'Bloed van Idaala! Als je denkt dat ik dit spinneweb zal

dragen...'

'Je kunt kiezen tussen dat of naakt rondlopen. Onze bagage is nergens te zien.'

De prins liep naar het derde bed en porde de snurkende Gidjabolgo in de ribben. Hij werd wakker, kakelend in het Forgisch en staarde toen sprakeloos naar de ijzige schoonheid van de kamer. Forollkin was uit bed gekomen en liep heen en weer over de vloer van ijs.

'Ik kan niet begrijpen waarom ik zo lekker warm ben – en moet je Lilahnee zien. Wat is ze gegroeid! En wat jou betreft, Kerisj, je was zo mager als een lat en nu zie je er sterk en gezond uit.'

Kerisj lachte. 'Ik ben beslist steviger dan ik was.' Hij liet zijn handen langs zijn lichaam glijden maar bleef met een schok steken bij zijn middel. 'Forollkin, de sleutels ze zijn weg!' De broers doorzochten beide kamers, maar de gouden ketting en de sleutels waren verdwenen. Gidjabolgo sloeg hen met belangstelling gade. 'Wat zijn dat voor sleutels die mijn meesters zo ongerust maken?'

'De sleutels van een gevangenis,' antwoordde Kerisj kortaf.

'Misschien heeft onze gastheer, wie dat ook is, ze samen met onze kleren weggenomen zonder kwaad in de zin te hebben,' opperde Forollkin.

'Misschien, maar het Juweel van Zeldin heeft hij bij me gelaten,' zei Kerisj. 'En als onze gastheer de tovenaar van Tir-Zulmar is zou hij alle reden hebben om de sleutels te stelen.'

'Wel, we zullen beter kunnen denken met een volle maag,' stelde Forollkin voor. 'Je zei immers dat er eten gereed stond.'

Het eten had geen geur, maar het smaakte gewoon genoeg en de reizigers aten een poos onder gulzig stilzwijgen. Toen vroeg Gidjabolgo: 'Wat is dat voor een gevangenis met zoveel deuren?'

Kerisj gaf geen antwoord, maar Forollkin zei: 'Omdat je met ons mee moet reizen kun je het net zo goed weten. Kerisj en ik zijn er door de keizer van Galkis op uitgestuurd om zeven sleutels te zoeken. Elke sleutel wordt bewaakt door een tovenaar, maar onze heilige geschriften zeggen dat de sleutels de poorten openen van een kerker waarin de Verlosser van Galkis gevangen gehouden wordt. Zodra hij vrij is zal hij ons rijk in zijn zwartste uur bijstaan.'

'Waar is die gevangenis?' vroeg de Forgiet.

Forollkin keek naar zijn bord. 'Dat weten we niet.'

'Maar wie houdt die verlosser dan gevangen,' drong Gidjabolgo aan, 'en waarom?'

'Dat weet ik niet,' zei Forollkin mat. 'Ik weet zelfs niet eens of er een verlosser of een gevangenis *is*, maar wij zullen de bevelen van de keizer gehoorzamen.'

'Een gek gehoorzamen? Dan zijn jullie nog grotere dwazen dan ik dacht.' Gidjabolgo's stem was scherp van minachting. 'Een verlosser! Niets dan geklets om dwazen rustig te houden terwijl hun de keel wordt afgesneden.'

Forollkin keek hem aan en zei zacht: 'Wie aanbid jij, Gidjabolgo?'

'Mezelf,' kraste de Forgiet. 'Zoals ieder verstandig mens.'

'Nou, je schijnt anders niet rijk te zijn geworden van offers...'

Plotseling zette Kerisj zijn beker neer en stond van tafel op. Hij liep door de kamer, zoekend naar een uitweg. 'Forollkin, we *moeten* de sleutels vinden!'

Hij bonsde woedend op het ijs en de kleuren verdwenen uit de wand. Het ijs werd geheel doorschijnend en smolt weg. Er werd een lange gang zichtbaar, gemaakt van groen ijs als een laan met treurwilgen.

'Als dit geen citadel van een tovenaar is ben ik een boon,' gromde Gidjabolgo, maar zijn ogen waren rond van verwondering. Kerisj haastte zich naar de kamer ernaast en wekte Lilahnee. Haar nabijheid, groot en fel als ze was, gaf hun moed toen ze de gang in gingen. Ze liepen langzaam en voorzichtig en alleen hun voetstappen verstoorden de stilte.

Ze sloegen een hoek om en stonden plotseling tegenover een reusachtig raam van helder ijs. Kerisj' adem stokte toen hij zag wat erachter lag. Door zeilende wolken zagen ze dat de berghelling steil afliep naar de schimmige heuvels ver in de diepte. Tegenover het raam zagen ze een reusachtige grot die geheel gevuld werd door een grote kristallen bol – de lamp van Tir-Zulmar die Kerisj abusievelijk voor de ochtendster had aangezien.

Ze stonden een hele tijd tussen de lamp en het raam voor ze verder zochten. De reizigers dwaalden door tientallen kamers die in ijs en rots waren uitgehouwen; allemaal even mooi, stil en leeg. De prins begon het gevoel te krijgen dat elk vertrek nog maar net ontruimd was. Ze liepen vlugger, deden dunne wanden wegsmelten door ze met een hand aan te raken en één keer dacht Kerisj dat hij door het dunne ijs heen een schim van hen zag weglopen. Tenslotte kwamen ze bij een wenteltrap van zwart ijs.

'Gaan we naar boven?' vroeg Forollkin.

'Eén misstap en we breken onze nek,' mopperde Gidjabolgo, maar Kerisj was de trap al opgelopen met Lilahnee op zijn hielen. De anderen volgden; geen van hen wilde alleen achtergelaten worden met de spookachtige schoonheid van Tir-Zulmar.

Ze klommen bijna een half uur de trap op tot ze bij een zilveren, met zwarte edelstenen ingelegde deur kwamen. Lilahnee legde haar oren plat tegen haar kop en liet een huiveringwekkend gekrijs horen.

'Gaan we terug?' hijgde Gidjabolgo.

'Nee.' Kerisj klonk wonderlijk opgewonden. 'We zijn er nu bijna.'

'Ik zeg dat we terug moeten gaan,' verklaarde Forollkin. 'Kijk eens naar Lilahnee!'

De moeraskat zat ineengedoken op de bovenste tree, haar haren stonden overeind op haar rug en haar ogen waren groot en donker, maar Kerisj had de zwarte deur al opengeduwd.

Hij ging een dichte mist binnen. Na een paar stappen bleef hij staan en draaide zich om. 'Forollkin? Gidjabolgo?' Ze antwoordden, maar Kerisj kon hen niet zien. Hij wist dat ze in de buurt waren, maar iets anders was dat ook, de schim die hij vaag van hen had zien weglopen. Nu was die roerloos; ze wachtte. Impulsief riep Kerisj: 'Tovenaar van Tir-Zulmar, ik bezweer je bij de zeven sleutels en de zeven poorten te verschijnen!'

Alle drie zagen de reizigers dat een mistflard zich tot een bleke verschijning verdichtte. De huid was doorschijnend en het gebeente scheen erdoorheen. Het gezicht was een masker van ijs met juwelen als ogen. De stem was koud en wreed en aan de kroon van de tovenaar hingen edelstenen als gekristalliseerde ogen, nog altijd menselijk en radeloos.

'De dood is het enige lot voor hen die door de zilveren deur de zaal van de mist binnengaan. Het vlees zal van je botten worden gevroren; je gebeente zal in ijs worden gehuld; je ogen zullen juwelen in mijn kroon worden.'

Het schepsel van gebeente en ijs ging op Gidjabolgo af en de Forgiet vluchtte naar de zwarte trap. Toen was Forollkin aan de beurt.

'Kerisj, rennen!' De prins schudde dromerig zijn hoofd. Forollkin weifelde even en stormde dan Gidjabolgo achterna. Bij elke stap hoorde hij achter zich het tikken van gebeente op ijs.

In de zaal van de mist liep de tovenaar naar Kerisj toe. 'Zulke ogen zijn zelfs voor Tir-Zulmars kroon geschikt!'

Lange vingers werden uitgestoken om ze uit het gezicht van de prins te rukken. Kerisj herhaalde voortdurend de les van Tir-Racneth: 'Zinsbegoocheling, zinsbegoocheling, dit is zinsbegoocheling. Het kan mij niet deren.'

Hij dwong zich stil te blijven staan. 'Ik heb het ware gezicht, de gave van mijn vader; laat me de ware gedaante zien van de tovenaar van Tir-Zulmar!'

In een dwarreling van mist verdween de vreselijke gedaante. In zijn plaats stond een vrouw op wier bleke wangen bevroren tranen glinsterden. Even keken ze elkaar aan en toen draaide de vrouw zich met een zwaai van haar glinsterende mantel om en de mist sloot zich om haar.

De prins wilde haar volgen maar hij hoorde geen stappen om hem te leiden. Een hele tijd dwaalde hij door de mist zonder echter het einde van de zaal te bereiken. Kerisj kreeg een schok toen iets zijn been aanraakte, maar het geluid van spinnen zei hem dat het Lilahnee was. Geleidelijk begon de mist weg te trekken en liet hem achter in een reusachtige lege zaal. De wanden waren rijk versierd met praalstoeten en triomfen, maar elk reliëf werd ontsierd door plekken met troebele edelstenen die zich als schimmel over het ijs leken te verspreiden.

Achterin de zaal vond Kerisj een tweede zilveren deur en erachter een trap van melkachtig ijs. Met de moeraskat op zijn hielen liep hij de tweede trap op en bleef even staan voor hij op de derde deur klopte. Die ging open toen hij zijn hand erop legde en hij ging een rond, uit zwart rotsgesteente uitgehouwen vertrek binnen. Zeven ramen waren in het gesteente gezet, maar ze waren voorzien van luiken met zilveren grendels. Op een troon in het midden van de kamer zat de tovenares van Tir-Zulmar en in haar rechterhand hield ze een gouden ketting met twee gouden sleutels.

Kerisj had nog nooit zo'n mooie dame gezien, noch een die zo treurig keek. In haar zilveren haar waren ijsbloemen gevlochten. Geen sporen van ouderdom tekenden haar sneeuwwitte huid, maar haar groene ogen leken peilloos diep. Ze was gekleed in wit en zilver, was langer dan de prins en heel slank. Haar stem was even koel en prachtig als de sneeuw van de citadel in de bergen.

'Prins der Godgeborenen, Sendaaka van Tir-Zulmar heet u welkom en geeft u terug wat zo eervol het uwe is.'

Kerisj knielde om de gouden ketting aan te nemen en om zijn middel te doen. 'Vrouwe Sendaaka, zou ik, als ik waardig ben twee sleutels te dragen, ook niet waardig zijn om er drie te dragen?'

'U hebt moed en onfeilbaar gezicht,' zei Sendaaka minzaam, 'maar hebt u genoeg kracht om alle hoop en smart van de wereld te dragen? Prins, ik heb generaties lang geleefd en velen noemen mij wijs. Dit is mijn raad. Geef de sleutels terug en keer terug naar Galkis en naar uw vader, voor het te laat is.'

'Heeft mijn vader mij nodig?'

De groene ogen van Sendaaka schenen door de prins heen te

zien en heel ver achter hem. 'Elke dag wandelt hij alleen in zijn tuin; elke nacht knielt hij bij een witte sarcofaag en bidt voor zijn zoon. In de Binnenstad doet het gerucht de ronde dat de Derde Prins dood is; verdronken in de moerassen van Lan-Pin-Fria. De keizer weet dat hij het gevoeld zou hebben als zijn zoon stierf, maar hij vreest voor u.'

'De hogepriester zal hem geruststellen,' zei Kerisj onvast.

'Heer Izeldon is boos op zijn keizer,' antwoordde de tovenares. 'Uw zuster Zyrindella wil met haar zoon verenigd worden en heeft een beroep gedaan op de Galkische wet die verbiedt dat een moeder van haar kind wordt gescheiden.'

'Dat is de wet,' beaamde Kerisj, 'maar de hogepriester wilde Kor-li-Zynak voor zijn veiligheid in de tempel houden, waar Zyrindella hem niet kon gebruiken om tegen de troon te intrigeren. Hij denkt dat ze van plan is haar zoon tot keizer te maken...'

'Je vader weet dat,' zei Sendaaka kalm en Kerisj huiverde. 'Maar toch heeft hij het recht der Godgeborenen in stand gehouden. Op dit moment, terwijl wij met elkaar praten,' prevelde de tovenares, 'is Kor-li-Zynak op weg naar het noorden om zijn moeder te ontmoeten en omdat Li-Kroch weigert van het kind te worden gescheiden, zal Zyrindella ook haar echtgenoot terug krijgen.'

Kerisj zag Li-Kroch weer voor zich die ineenkromp voor de woede van zijn vrouw in de tempel van Zeldin, verdoofd met zigul en bedreigd met het touw.

'Elke dag dus,' vervolgde Sendaaka, 'wandelt de keizer in zijn tuinen en tobt over wat hij heeft gedaan.'

'Weet u wat er nu in Galkis zal gebeuren?'

Sendaaka bestudeerde het bezorgde gezicht van de prins. 'Ik kan niet ver in die duisternis zien, maar wel ver genoeg om tegen je te zeggen: ga naar huis.'

Kerisj bleef met gebogen hoofd neerknielen en gaf geen antwoord.

'Het is mijn gewoonte,' vervolgde ze, 'om allen te helpen die mijn poort bereiken. Ik heb je uit de sneeuw gered en je genezen. Ik heb je omringd met warmte zodat je de eeuwige koude van mijn citadel niet voelt. Nu zal ik je alle benodigdheden geven voor de reis naar het zuiden.'

'Maar het is winter,' begon Kerisj.

'Je hebt langer geslapen dan je denkt. De windbloemen staan in bloei op de vlakten van Erandatsjoe; het is lente. Voor de derde keer zeg ik je: ga naar huis.'

Kerisj stond op. 'Vrouwe Sendaaka, ik ben dankbaar voor al uw vriendelijkheden. Zeg me, waarom vertoonde u zich aan

ons in zo'n vreselijke gedaante?'
'Het is driehonderd jaar geleden sinds enig mens mijn gezicht zag,' antwoordde de tovenares. 'Ik heb gezworen dat niemand het zou zien totdat hij het afgrijzen in al die ogen had gezien en overwonnen.'
'Uw eed berooft de wereld van veel schoonheid,' prevelde Kerisj.
Sendaaka stond op uit haar zetel en liep van de prins weg. Toen ze weer sprak, had ze haar gezicht naar een van de met een luik gesloten ramen gekeerd. 'Hoewel ik zo lang alleen heb geleefd ben ik niet vergeten hoe weinig vleierij van mannen betekent. Ga naar je vrienden; je vertrekt morgen. Zet geen voet meer op de witte trap of ik laat je eraan vastvriezen.'
'Nee Sendaaka.'
De tovenares verstijfde, maar Kerisj ging haastig verder: 'Ik ga niet weg voor je me vertelt waarom de lente nooit naar Tir-Zulmar komt en om wie je huilt.'
'Ik huil om niemand.' Ze wendde hem haar trotse gezicht toe. 'Ik ben niet langer een mens. Mijn tranen zouden bevriezen voor ze van mijn wangen vielen.'
'Maar deze citadel is gebouwd van bevroren tranen,' zei Kerisj. 'Ik zie haar schoonheid, maar ik voel haar verdriet. Vrouwe... kan ik u niet helpen?'
Sendaaka hoorde de ernst in zijn stem en Kerisj schrok niet terug voor haar onderzoekende blik. 'Ik zal je zeggen waarom Tir-Zulmar huilt, dan zul je begrijpen dat je me niet kunt helpen en naar huis gaan. Ga even zitten en luister; jij ook, pelsdraagster.'
Lilahnee had waakzaam in de deuropening gezeten, klaar om de prins te verdedigen. Nu stapte ze de kamer in en nestelde zich aan de voeten van de tovenares.
'Vele eeuwen geleden werd ik geboren op het eiland Gannoth, als enige dochter van de prins. Mijn vader was een hartstochtelijk beoefenaar van de wetenschappen en hij onderwees mij goed. Elk uur dat ik wakker was bracht ik door met het bestuderen van oude wijsheden tot maar weinigen in Zindar even geleerd waren als ik. En niemand wist zoveel van de leer der sterren. Maar toen...'
Sendaaka's lange vinger trokken aan een lok van haar zilveren haar. 'Toen kwam er een jonge edelman uit Seld naar het hof van mijn vader om kennis te vergaren. Zijn naam was Saroc. Toen we elkaar leerden kennen vroeg ik hem naar de dingen die hij geschreven had, maar hij staarde me aan en antwoordde niet. Toen vroeg hij me hem te vergeven en zei dat hij wijsheid had verwacht, maar niet zoveel schoonheid.'

De tovenares bukte zich om Lilahnee te strelen. 'We trouwden in de herfst en hij nam me mee naar Seld, naar zijn kasteel in de buurt van de Witte Heuvels. Na twee jaren werd ons een dochter geboren en we waren heel gelukkig. Allebei zetten we onze studies voort, soms samen, maar vaak ieder voor zich. Allebei zochten we naar de sleutels van de macht en ondergingen de zeven beproevingen... Prins, er is veel dat ik je niet kan vertellen, maar toen onze dochter vijftien was, hadden wij beiden het recht op een sleutel verdiend. 'Nu is mijn echtgenoot een trots man en toen hij begreep dat ik hierin zijn gelijke was, zoals in alles, beviel hem dat niet. Toen vernamen we dat als we allebei een sleutel hadden, wij voorgoed zouden moeten scheiden. Als slechts een van ons een sleutel accepteerde, konden we voor altijd samen in één citadel leven.'

Bittere herinneringen versomberden Sendaaka's stem. 'Ik zou ongevraagd mijn sleutel hebben opgegeven. Ik had mijn mond al open om te spreken toen Saroc elste dat ik afstand van mijn macht zou doen. Zo groot was mijn boosheid dat ik zei dat ik alleen om de sleutel en onsterfelijkheid gaf. Ik vertrok naar mijn nieuwe rijk en nam onze dochter mee. We reisden langzaam naar het noorden, want ik dacht dat hij ons achterna zou komen, maar sinds die dag heb ik Saroc niet meer gezien.'

Kerisj zag tranen in Sendaaka's ogen opwellen en als ijzige juwelen op haar wangen bevriezen.

'Zo kwam ik dus in de bergen terecht en in de eerste roes van mijn macht bouwde ik Tir-Zulmar. Het was vuur temidden van het ijs, hoogzomer in eeuwige winter. Mijn dochter woonde bij me, mijn troost en vreugde; ook onsterfelijk mits ze in mijn citadel bleef. Toen zond Saroc koeriers en liet vragen of ze een tijd bij hem wilde komen wonen. Ik had geen recht dat te weigeren. Ik omringde haar met beschermende betoveringen en liet haar naar haar vader gaan, maar zijn zorg evenaarde de mijne niet. Onze dochter stierf buiten zijn citadel... ik kan er niet over praten.'

Kerisj nam Sendaaka's koude handen in de zijne. 'Vrouwe, uw echtgenoot heeft u inderdaad onrecht aangedaan, maar na eeuwen van eenzaamheid zal hij toch stellig meer dan bereid zijn u als zijn gelijke te erkennen. Als u uw sleutel opgaf om hem te tonen...'

'Nooit!' De tovenares veegde de tranen van haar wangen en ze verbrijzelden op de vloer. 'Ik zal nooit op mijn knieën naar Saroc gaan en hem smeken weer zijn vrouw te mogen zijn; als hij er spijt van heeft moet hij maar naar mij komen.'

Kerisj dacht even na en zei toen behoedzaam: 'Ik weet zeker dat Saroc ernaar snakt te komen, maar bang is u om vergeving

te vragen, bang dat u zult weigeren.'
'Wat weet jij van Saroc?'
'Ik weet wat de trots van een man is en het kwaad dat die kan aanrichten,' zei Kerisj droevig. 'Vrouwe Sendaaka, bewijs dat u de grootste bent door hem de weg te wijzen.'
'Ik zou mijn sleutel opgeven,' prevelde de tovenares, 'als hij de zijne opgaf. Als hij nog altijd van me houdt moet hij bewijzen dat hij liever met mij zou willen sterven dan alleen onsterfelijk blijven.'
'Geef me uw sleutel en ik zal naar Seld gaan en met Saroc praten,' beloofde Kerisj. 'Ik zal hem niet vertellen dat ik de sleutel heb, alleen dat u eenzaam bent. Ik zal hem naar u toesturen om u uit Tir-Zulmar weg te halen en naar huis te brengen. Ik zweer dat als hij niet komt, ik uw sleutel zal teruggeven en mijn speurtocht zal opgeven.'
'De citadel van Saroc wordt door verschrikkingen bewaakt.' Sendaaka's koele stem beefde. 'Je zou hem nooit bereiken.'
'Ik kan niet naar Galkis terugkeren tot we het geprobeerd hebben,' zei Kerisj vastberaden.
'En wat gebeurt er als jij onderweg wordt gedood,' vroeg Sendaaka. 'En als mijn sleutel verloren raakt?'
'Zou je de ouderdom en de dood zo verschrikkelijk vinden?' vroeg Kerisj.
De tovenares antwoordde niet.
'Zou u, vrouwe?'
'Prins, ik moet de sterren bestuderen.'
Sendaaka leek weer haar gewone ijzige kalmte. 'Keer terug wanneer het dag is en breng uw broer mee.'
Kerisj boog. Lilahnee leek nog te slapen naast de zetel van de tovenares.
'Vrouwe Sendaaka, ik weet niet of ik de weg terug wel kan vinden.'
'Ga naar de voet van de witte trap. Leg je handen op de muur en sluit je ogen.'
De tovenares liep naar een van de ramen. 'Ga vlug!'
Aan de voet van de trap zette de prins zich schrap tegen het ijs. Zodra hij zijn ogen sloot had Kerisj de sensatie dat hij heel snel viel, zoals hij soms op de rand van de slaap had gevoeld. Zijn handpalmen leken geen ijs meer aan te raken. Hij verbeeldde zich wild dat hij alleen was met slechts het totale niets en dat de wereld herschapen zou worden wanneer hij zijn ogen opende. Maar hij was niet alleen. Iemand riep zijn naam.
'Kerisj, ben je het werkelijk?'
Forollkin hield de arm van zijn broer vast. 'Ga weg van de muur. Ik kan hem zien door het ijs!'

Geschokt door de angst op het gezicht van zijn broer sloot Kerisj Forollkins ogen met zijn vingertoppen. 'Nee, er is daar niets. Het is maar zinsbegoocheling.'

'Ik heb het gezien,' mopperde Gidjabolgo, 'het kwam op me af om mijn ogen uit te krabben!'

'Geloof me, er is niets boosaardigs in Tir-Zulmar, niets dat ons kwaad wil doen.'

De kalme stem van de prins drong tot de twee mannen door en plotseling kon Forollkin zich niet meer herinneren waarom hij zo bang was geweest of hoe hij weer in hun kamer was gekomen.

'Een zinsbegoocheling?'

Kerisj glimlachte tegen zijn broer. 'Een zinsbegoocheling ons gezonden door de tovenares van Tir-Zulmar om onze standvastigheid op de proef te stellen.'

'Welke tovenares?' Forollkin klonk nog steeds verbijsterd.

'Vrouwe Sendaaka, de meesteres van Tir-Zulmar,' antwoordde Kerisj. 'Je zult haar bij het aanbreken van de dag ontmoeten en ik denk dat ze me haar sleutel zal geven.'

'En hoe zit het met de andere twee?'

'Ik draag de ketting weer. Zie je dat niet?'

'Ik heb jouw ogen niet, Zeldin zij gedankt,' zei Forollkin.

'Moet je onze dappere kapitein horen.' Gidjabolgo was ook van de schrik bekomen. 'Het is blijkbaar gemakkelijker een prins af te snauwen dan een tovenares het hoofd te bieden.'

Forollkin draaide zich om en gaf Gidjabolgo een klap die de lippen van de Forgiet tegen zijn tanden sloeg, zodat ze opzwollen en bloedden. Kerisj wierp zich tussen hen.

'Forollkin, laat dat!'

Forollkin schudde zijn broer van zich af en stevende naar de slaapkamer. Kerisj doopte een servet in een beker met wijn en waste Gidjabolgo's lippen. 'Je hebt het aan jezelf te danken.'

'Ik beklaag me niet,' mompelde de Forgiet. 'En waren mijn woorden erger dan de gedachten achter jouw glimlach?'

Kerisj liet het servet vallen en liep naar de andere k[illegible]
Maanlicht stroomde door de muren en maakte het in zilv[illegible]
Forollkin lag op zijn bed met een arm over zijn gezicht. [illegible]eet
je dat het buiten lente is?' vroeg Kerisj.

'Dat kan niet,' Forollkins stem klonk gesmoord. [illegible]ei ach-
Kerisj ging aan het voeteneinde van het bed zitte[illegible] Sendaa-
teloos: 'Wel, misschien neem je het straks van V[illegible]en nodig
ka aan. Denk eraan, broer, je zult je hof[illegible]
hebben.'

[illegible]s opgelucht.
Forollkin snoof en draaide zich om en K[illegible]wekt door een
Bij het aanbreken van de dag werd de [illegible]

gouden licht dat door de muren filterde. Hij kwam knipogend tegen het toenemende schijnsel overeind en wekte Forollkin. In de kamer ernaast vonden ze Gidjabolgo die over de tafel hing. Erop uit om hun verplichting achter de rug te hebben schudden ze hem wakker.

'De tovenares heeft jou niet ontboden,' zei Kerisj, 'maar ik vind dat je toch mee moet gaan.'

Gidjabolgo boog en zijn gezwollen mond stak donker af tegen zijn tanige vel. 'Ik dank mijn meesters dat ze hun woord houden.'

De verontschuldiging die Forollkin juist wilde maken bleef in zijn keel steken en Kerisj liep naar de muur in de hoop dat hij wist hoe hij bij de tovenares moest komen. 'Sluit je ogen en houd mijn armen vast.'

Hij riep zich de zilveren deur voor de geest die naar de witte trap leidde en sloot zelf zijn ogen. Weer was er een heftige schok en Kerisj had het gevoel alsof zijn lichaam als een net werd uitgespreid en de hele wereld door hem heen ging. Toen verkilde een vinger van mist zijn voorhoofd.

'We zijn er. Jullie kunnen me allebei loslaten.'

Kerisj beval de Forgiet bovenaan de trap te wachten en Gidjabolgo ging op de bovenste tree zitten. Kerisj klopte op de zilveren deur en ze ging open. De zwarte kamer was veranderd: nu werd hij verlicht door honderden sterren die aan de donkere zoldering straalden. Forollkin vergat zijn zenuwachtigheid toen hij een beeldschone vrouw op een troon van ijs zag zitten, met een groene moeraskat aan haar voeten.

Kerisj boog. 'Vrouwe Sendaaka, mag ik u mijn broer voorstellen, heer Forollkin.'

'Welkom,' prevelde Sendaaka.

Onbeholpen in zijn zijden gewaad boog Forollkin eveneens en bedankte de tovenares hakkelend voor haar goedheid. Terwijl hij sprak bleven Kerisj' ogen op een gouden kistje rusten dat nu voor een van de vergrendelde ramen stond. Van de kook ebracht door Sendaaka's koele blik haspelde Forollkin: 'We dden zoveel hulp nooit verwacht... niet dat we enig kwaad u gehoord hadden...'

uwe,' viel Kerisj hem in de rede. 'Hebt u mijn aanbod en?'

de sterren zien dansen,' antwoordde Sendaaka. 'Het hoop is heel flauw, maar het schijnt nog. De weer- op jullie gezichten. Ik zal je mijn sleutel lenen. orwaarden aan vóór je me bedankt. Tir-Tonar gaan, de citadel van Saroc. Als je bij , moet je hem vragen zijn sleutel af te staan en naar het noorden te gaan, naar Tir-Zulmar.' Ze legde haar vinger als een vleug van vorst op Kerisj' lippen. 'Saroc mag niet weten dat jij mijn sleutel hebt. Zeg er één woord over en je tong zal in je mond bevriezen. Als Saroc zijn sleutel niet wil opgeven moet je de mijne terugbrengen naar Tir-Zulmar of sterven. Je zult nog erger dan dood zijn als je je woord probeert te breken.'

'Ik zal mijn woord houden terwille van dat woord, niet uit angst voor uw dreigementen,' zei Kerisj.

De tovenares glimlachte bijna. 'Je boosheid is het warmste ding in mijn citadel. Open het kistje!' Kerisj stak de tweede sleutel in het gouden sleutelgat en pakte een derde sleutel die versierd was met een heldere witte edelsteen. Toen knielde hij om Sendaaka's hand te kussen.

'We zullen u het voorjaar zenden.'

Ze wendde zich tot Forollkin. 'Kom nu naast mij zitten; tenzij je nog altijd bang bent voor de tovenares van Tir-Zulmar.'

'Wie zou er bang zijn voor zoveel schoonheid?' zei Forollkin met onhandige galanterie.

'Wat is er gevaarlijker dan schoonheid?' vroeg Sendaaka. 'Maar schaam je niet voor je angst. De prins heeft de gave van het ware gezicht, het erfgoed van de Godgeborenen. Jij hebt een ander soort gezicht en een ander soort moed. Beide zullen nodig zijn om in Tir-Tonar binnen te dringen. Voor mijn eigen bestwil moet ik nu afscheid van jullie nemen. Morgen krijgen jullie je bezittingen terug, samen met leeftocht voor een lange reis en paarden om alles te dragen.'

'Paarden!' riep Forollkin uit. 'Maar de weg is toch zeker veel te steil om...'

'Mijn citadel heeft vele poorten,' zei Sendaaka. 'Een ervan komt uit op de vlakte. Jullie moeten dwars door westelijk Erandatsjoe trekken en via de Engte van Lamoth naar Seld gaan. Vraag daar de weg naar Tir-Tonar.'

'Hoeveel tijd zal deze reis in beslag nemen?' vroeg Forollkin.

Sendaaka bukte zich om de moeraskat te aaien en haar zilveren haar verborg half haar gezicht. 'Dat zal afhankelijk zijn van wie jullie ontmoeten. De vlakten zijn niet leeg en het zou vreemd zijn als jullie aan het waakzame oog van de Kinderen van de Wind ontsnapten.'

'Zouden deze vlaktebewoners ons kwaad doen?' drong Forollkin aan.

'De meeste stammen doden elke vreemdeling die ze tegenkomen,' antwoordde Sendaaka. 'Maar ze zullen jou, Kerisj-lo-Taan, geen kwaad doen.'

De prins vroeg haar niet waarom, maar de tovenares vervolgde: 'Eeuwen geleden had ik medelijden met de duisternis waarin de Erandatsji's leefden zodat ik mij onder hun stammen begaf en aan bepaalde vrouwen verscheen om hen een zachtmoediger wijsheid te leren. Ik maakte hun haar even zilverig als het mijne ten teken dat ze waarlijk geïnspireerd waren. De afstammelingen van deze vrouwen zijn nog altijd priesteressen van hun stammen en de echtgenoten van stamhoofden. Van tijd tot tijd worden er mannen geboren met zilver in hun haar en zij worden vereerd als profeten van de Berggodin. Zelfs nu, terwijl de stammen weer tot hun oude gebruiken terugkeren, zullen ze jouw zilveren haren respecteren.'

'Mijn moeder had zilver haar,' zei Kerisj zacht.

Sendaaka beantwoordde zijn onuitgesproken vraag. 'Ik heb haar zien opgroeien tot een mooie en dappere jonge vrouw. Taana was haar lot waardig.'

'Ze was een slavin en stierf jong,' protesteerde Kerisj.

'Ze was een koningin en stierf bemind,' zei Sendaaka. 'Vergeet dat nooit. Maar nu is er een derde reiziger die voor mijn deur wacht. Laat hem binnenkomen, Forollkin.'

De tovenares gaf geen blijk van verrassing of afkeer bij het zien van Gidjabolgo en groette hem hoffelijk. 'Welkom, Gidjabolgo van Forgin; het doet me genoegen dat je mijn citadel mooi vindt. Wat is het dat je van mij verlangt?'

De Forgiet maakte een linkse buiging en richtte zich met een nors gezicht op.

'Ach, misschien spreek je er liever niet over in aanwezigheid van de anderen,' opperde Sendaaka. 'Dan kan het niet zo'n innige wens zijn.'

'Ik zal me voor u afbeulen of voor u doden. Zeg mij uw prijs,' gromde Gidjabolgo 'U weet wat ik wens.'

'Ja, ik weet het,' beaamde de tovenares onbewogen. 'Mijn prijs is niet hoog; trek alleen de grendels voor dat raam daar weg.'

Ze wees naar een raam tegenover de zilveren deur, dat diep in de rotswand was gevat. Gidjabolgo rende er bijna heen, maar nog voor zijn dikke vingers de grendels aanraakten zei Sendaaka: 'Begrijp me goed, als je dat raam opent zul je zien wat geen mens ooit heeft gezien. Jij alleen zult weten wat er achter de Verste Bergen ligt; achter het einde van de wereld. Wat zul je zien? Vreemde sterren? Een nieuwe wereld? De donkere diepte van de oneindigheid? Open het raam als je durft en kom te weten hoe vergankelijk ons Zindar is!'

Gidjabolgo morrelde aan de grendels, hij hoefde alleen de luiken open te duwen om zijn hartewens te krijgen. Forollkin wendde zijn blik af toen de Forgiet een bevende hand uitstak.

'Kom,' fluisterde Sendaaka. 'Open het raam!'

Nog altijd raakte Gidjabolgo het luik niet aan.
'Aarzel je?' vroeg de tovenares. 'Dan zul je je wens nooit van mij krijgen.'
'Nee, ik maak het open,' schreeuwde Gidjabolgo, maar met een beweging die vlugger was dan het oog kon zien ging Sendaaka tussen de Forgiet en het raam staan.
'Je wens zal nooit door mij worden vervuld; probeer het maar bij Saroc. Ga nu heen, jullie allemaal, maar wanneer mijn lamp wordt aangestoken zal ik jullie op een feest ontbieden en we zullen de afscheidsbeker ledigen.'
Toen ze alleen was opende de vrouwe van Tir-Zulmar de zilveren luiken en keek een poos naar buiten. Toen knielde ze neer, verborg haar gezicht in Lilahnee's zachte vacht en huilde haar bevroren tranen.
De twee Galkiërs liepen vlug de wenteltrap af. Gidjabolgo volgde schoorvoetend. Kerisj bleef even staan om een figuur van ijskristallen te bekijken en kreeg plotseling het volle gewicht van de Forgiet op zich. Hij viel voorover, maar Forollkin stond maar enkele treden lager. Hij ving Kerisj op, strompelde achteruit en smakte neer met zijn broer op schoot, helemaal buiten adem.
Toen Forollkin weer kon praten schreeuwde hij tegen Gidjabolgo: 'Wat haal je je in Zeldins naam eigenlijk in je hoofd?'
'In Zeldins naam... niets,' zei Gidjabolgo knorrig. 'Mijn voet gleed uit.'
Trillend van de schrik maar geheel ongedeerd kalmeerde Kerisj zijn broer en ze keerden terug naar hun kamers.
De rest van de dag luisterden ze naar Forollkins plannen voor de tocht. Kerisj verveelde zich en Gidjabolgo zat naar hen te kijken zonder iets te zeggen. Toen de avond viel werd het ijs zwart, maar geleidelijk verschenen er lichtstippen van de sterren op de muren. De opkomende maan verdreef de laatste duisternis en opeens zagen de reizigers dat ze in een enorme grot stonden die gemaakt leek van glinsterende sneeuwvlokken. Kerisj bewonderde de ingewikkelde patronen, terwijl de anderen naar een troonhemel en vier witte troonzetels keken.
Op een van de tronen zat Sendaaka, gekleed in de lichte geplooide gewaden van een prinses van Gannoth. 'Nog eens welkom. Ga zitten en ik zal mijn best doen jullie te onthalen zoals jullie verdienen.'
Toen de reizigers waren gezeten kroop Lilahnee vanonder de tafel te voorschijn en sloeg teder haar nagels in Kerisj' kuit. De tafel was gedekt met bokalen, bezaaid met juwelen en met gouden en zilveren borden en schalen, maar ze waren allemaal leeg.
'Van gebrek zet de buik meer op dan van hebben,' mopperde

Gidjabolgo.
'Als mannen honger hebben, denken ze alleen aan eten,' zei de tovenares, 'en stellen zich voor dat hun lievelingsgerechten voor hen uitgestald staan. Kijk nog eens, Gidjabolgo.'
Sendaaka maakte een gebaar en daar stond voor de Forgiet een gerecht van zachte jonge thawgs, de lekkerste vis in de Dirische Zee, gekookt in een saus van wijn en room.
'En voor jou, Forollkin?' vroeg de tovenares, maar voor hij kon antwoorden keek hij al naar een malse dorf, gevuld en gebakken en drijvend in kostelijke sauzen. Terwijl zijn broer nog zat te knipogen van verbazing bedacht Kerisj een schaal met Ellerinonns fruit en een beker nectar.
Sendaaka zelf dronk alleen water uit een kristallen bokaal terwijl ze toekeek hoe haar gasten aten. Toen Kerisj een glanzende donkerbruine vrucht nam, viel hem de vraag in die Forollkin aan hun volgende tovenaar had willen stellen.
'Vrouwe Sendaaka, wie bouwde de stad achter de Verboden Heuvel?'
'Zindar is oud en de mensheid is jong,' zei de tovenares, haar kristallen bokaal neerzettend en ze staarde in het heldere vocht alsof ze daar een antwoord kon zien. 'Eens waren er vijf van zulke steden; nu zijn drie ervan verlaten ruïnes. Als je in Gannoth, mijn eigen land, komt moet je de prins vragen waar de eerste schepen vandaan kwamen en wat ze in Zindar aantroffen.'
'Maar de mensen die deze steden bouwden...' begon Forollkin.
'Het waren geen mensen,' zei Sendaaka, 'maar veel oudere schepsels en rijk aan macht en kennis. Toch moeten ze te weinig wijsheid hebben bezeten, want ze vernietigden elkaar. Smart en haat werpen hun schaduwen op de ruïnes van hun steden en de oude bewakers van hun nutteloze schatten vervullen nog altijd hun dodelijke opdracht.'
'Dus die arme stakker die wij vonden moet geprobeerd hebben de schat te stelen en werd door de bewakers gedood,' prevelde Forollkin, 'terwijl de stad haar geheimen bewaart.'
'Helaas niet.'
Kerisj kromp ineen bij de pijn in Sendaaka's stem.
'Eens werden de bewakers verslagen,' zei de tovenares, 'door iemand die de macht van de sleutel bezit, de tovenaar-koning van Roac. Alles tussen de Verboden Heuvel en de Verste Bergen ligt op mijn grondgebied en daarom kwam Sjoebeyasj bij mij en vroeg nederig of hij de verwoeste stad van een veilige afstand mocht bestuderen. Ik had naar de waarschuwingen van Elmandis moeten luisteren, maar dwaas genoeg geloofde ik dat

ik in het hart van de koning van Roac kon kijken. Ik liet hem ongehinderd door mijn landen dwalen.

'Sjoebeyasj ging de stad binnen, ontdekte het ergste van haar geheimen en probeerde dan zichzelf tot de grootste van de zeven tovenaars te maken. Hij faalde; zijn lichaam werd vernietigd en zijn koninkrijk verwoest.' Sendaaka huiverde. 'Maar omdat zijn sleutel nog steeds in zijn kistje in duister Tir-Roac ligt, is de geest van Sjoebeyasj nog altijd aan Zindar geketend.'

'Moeten wij naar Roac gaan?' vroeg Forollkin.

De tovenares knikte en witte juwelen glinsterden in haar zilveren haar. 'De sleutel van Saroc opent het kistje van Sjoebeyasj; maar we moesten vanavond liever niet over jullie taak spreken. Dit moet een vrolijk feest zijn.'

Sendaaka klapte in haar handen en riep op hetzelfde ogenblik voor ieder van haar gasten een andere illusie op. Voor Kerisj werden zijn lievelingsverhalen van de dichter-keizer uitgebeeld, Forollkin keek naar de wervelende zwaarddansers van Viroc en Gidjabolgo glimlachte om zijn privé visioen. Sendaaka kon haar eigen ogen niet betoveren en daarom keek ze naar ijs en leegte zolang ze die kon verdragen. Toen klapte ze weer in haar handen en de illusoire artiesten verdwenen.

'Morgen beginnen jullie je reis. De paarden die ik jullie zal lenen kennen de weg door de vlakten. Kijk elke avond achterom naar de bergen en jullie zullen mijn lantaren zien branden om je aan Tir-Zulmar te herinneren.'

Kerisj had willen knielen om haar hand te kussen, maar met een droefgeestig lachje en een glinstering van ijsbloemen verdween Sendaaka uit hun gezicht. De muren van sneeuw verdwenen en ze waren terug in hun eigen kamers. Toen ze zich te slapen legden vroeg Kerisj zich af waar ze wakker zouden worden.

Forollkin werd gewekt door het geklepper van hoeven op ijs. Hij kwam overeind en schudde Kerisj en Gidjabolgo wakker. Ze lagen op de vloer van een kleine grot naast een stapel bagage waaronder zakken met voedsel en nieuwe kleren, gemaakt van grijs bont en kleurig geverfd leer.

Toen ze zich aangekleed hadden, gingen de reizigers op onderzoek uit in een korte tunnel die naar een tweede, veel grotere grot leidde. Drie robuuste appelgrauwe pony's en twee witte paarden met rinkelende zilveren belletjes aan hun purperen tuig galoppeerden heen en weer en hun warme adem dampte in de koude lucht. Kerisj glimlachte verrukt tegen de prachtige dieren, terwijl Forollkin zich afvroeg hoe ze hun rijdieren ooit moesten vangen.

De prins stak zijn handen uit en de hengsten kwamen heel

mak naar hem toe. Ze schrokken zelfs niet toen de moeraskat om hen heen draaide en achterdochtig hun benen besnuffelde. De pony's dromden om Gidjabolgo heen en wierpen hem bijna omver met hun vriendelijke duwtjes. Hij protesteerde hevig tegen de gedachte er een te berijden, tot Forollkin informeerde of de Forgiet te voet door Erandatsjoe wilde trekken.

Hun bagage werd op de brede ruggen van de overige pony's gebonden en Kerisj en Forollkin kozen ieder een hengst. Ze draafden naar een tunnel van doorschijnend ijs die in zuidelijke richting buiten de grot uitkwam. Gidjabolgo strengelde zijn vingers in de manen van zijn pony, sloot zijn ogen en gaf het dier een schop in de flanken.

Na een uur veranderde het ijs in rotsen en de tunnel werd verlicht door fakkels die met rustige, blauw-groene vlammen brandden. Na drie uren gereden te hebben kwamen ze bij een zilveren deur die zich voor hen opende en achter hen weer dichtsloeg. Knipogend tegen het zonlicht en gegeseld door de noordenwind keken ze uit over uitgestrekte grasvelden en knikkende bloemen. Hun reis over de vlakten van Erandatsjoe was begonnen.

6
Het Boek der Keizers: *Smarten*

Veel valt er te leren van het contact tussen twee volken en nog meer valt er af te leren.

De grote vlakten van Erandatsjoe waren wit van de windbloemen. De heldere hemel werd alleen donkerder door zwevende vogels, eenzame jagers in de uitgestrektheid van het grasland. De drie ruiters worstelden tegen de westenwind en een groeiend besef van eenzaamheid.

Voor de honderdste keer die ochtend streek Forollkin het bruine haar achterover dat zijn gezicht striemde en wees naar iets. 'Kerisj, kun jij onderscheiden wat dat is?'

De tweede ruiter ging even in de stijgbeugels staan. 'Gewoon een heuvel, geloof ik, met een steen op de top.'

'Dan zullen we erheen rijden,' zei Forollkin. 'Op de top zouden we een goed uitzicht moeten hebben.'

'Op wat?' snoof de derde ruiter, 'windbloemen?'

'Nee maar, Gidjabolgo,' prevelde Kerisj, 'zeg nou niet dat jij werkelijk weer andere mensen wilt zien. Ik dacht dat je een hekel aan iedereen had.'

'Dat heb ik ook,' antwoordde de Forgiet kalm, 'maar ik ben jullie stemmen beu; ik zou het toejuichen als er iets nieuws kwam waar ik een hekel aan kan hebben.'

Kerisj had langzamerhand geleerd om dergelijke opmerkingen te lachen en deed dat nu ook. 'Wel, ik ben bang dat je de verandering misschien geen verbetering zult vinden. De Erandatsji's houden er onaangename methoden op na om met reizigers met scherpe tongen af te rekenen.'

'Welke Erandatsji's?' vroeg Gidjabolgo. 'Als ze bestaan – waar zijn ze dan?'

'Vlak achter elke horizon,' zei Kerisj.

Er was meer dan een maand verstreken sinds ze de bergpoort hadden verlaten en in al die tijd hadden ze niemand gezien. Eén keer waren ze op een plek gekomen waar het gras zo kort was alsof er een reusachtige kudde had gegraasd. Eén keer meende Kerisj dat hij een ruiter op een gehoornd dier zag, heel in de verte. Verder hadden ze geen sporen van menselijk leven ontmoet.

Na een kalme rit kwamen ze bij de heuvel. Opgejaagd door Lilahnee draafden de pakponies hen achterna. Forollkin en Kerisj stegen af; Gidjabolgo bleef waakzaam in het zadel. Iemand had ervoor gezorgd dat er geen gras op de heuvel groeide door het bij de wortels uit te trekken, zodat de rode aarde kaal was. Forollkin knielde neer om de grond te onderzoeken.

'Kijk eens, Kerisj, er zijn hier mensen geweest, en nog maar kort geleden ook.'

De prins was de heuvel opgehold om de steen op de top te inspecteren. Heel lang geleden, te oordelen naar de verweerdheid, had iemand er de primitieve beelden ingekrast van een man met een speer die een vrouw ving met sterren in haar haar.

'Wat is dit, een tempel van de Erandatsji's?' vroeg Forollkin, die aangelopen kwam om zich bij zijn broer te voegen.

'Vast en zeker een heiligdom,' antwoordde Kerisj.

'Maar zonder priesters en zonder gelovigen,' zei Forollkin, 'misschien heeft Gidjabolgo gelijk en bestaan de Erandatsji's niet.'

'Als zij niet bestaan, besta ik evenmin,' prevelde de prins.

'Kerisj, als je de reis soms wilt onderbreken om het volk van je moeder te zoeken...'

'Nee.'

Kerisj vermeed de bezorgde grijze ogen van zijn broer. Hij gebaarde naar de pakpony's. 'Zullen we hier blijven om te eten of krijgen we geen middagmaal meer?'

Hun voorraden zouden spoedig op zijn en dan waren ze afhankelijk van wat Forollkin kon schieten.

'Niet na vandaag, tenzij we trek hebben in Lilahnee's restjes.'

Bij het horen van haar naam likte de moeraskat Forollkins hand met haar ruwe tong.

'Au, duivelse kat, je zult mijn huid er nog aflikken!'

Hij duwde haar weg en daarom draaide Lilahnee om Kerisj' benen tot hij knielde om haar zachte groene vacht te strelen.

Forollkin riep Gidjabolgo toe het laatste pak met eten af te laden. Hij liet de paarden los om het malse gras te grazen, wetend dat ze niet ver zouden afdwalen.

Gidjabolgo verdeelde drie magere porties gedroogd fruit en haakte een wijnkruik los van zijn zadeltas. De reizigers gingen aan de voet van de heuvel zitten, dankbaar dat ze daar wat tegen de wind beschut waren.

Forollkin nam een slok wijn en spoelde er zijn mond mee om de weeë nasmaak van het fruit kwijt te raken.

'Wat zou ik niet willen geven voor een lekker gebraden garpin!' verklaarde hij, met een zucht die maar half voor de grap was.

'Heb je er spijt van dat je meegegaan bent, broer?'

'Nee,' antwoordde Forollkin ernstig. 'Galkis ligt heel ver achter mij en ook dat wat ik daarginds was – Elmandis en Sendaaka hebben me geleerd dat de wereld groter is dan ik dacht, en vol verschrikkingen. Ik ben niet meer zo zeker van alles als ik was, maar ik begin zowel wonderen te zien als verschrikkingen. Misschien zal ik me meer als een van de Godgeborenen voelen wanneer we in Galkis terugkeren.'

'En ik minder,' antwoordde Kerisj, maar hij lachte van puur genoegen. 'Misschien maak je toch nog een krijger van me.'

'Daar drink ik op,' zei Forollkin, maar net toen hij de kruik ophief stormde Lilahnee de helling af, met opstaande haren.

'Wat is er... gevaar?'

Ze wisten alle drie dat het lichtzinnig zou zijn de waarschuwing van de moeraskat in de wind te slaan. Gidjabolgo liep naar de paarden, maar Kerisj rende de heuvel op en bleef, zich roekeloos aftekenend tegen de einder, op de top staan. Hij zag onmiddellijk dat het te laat was om te vluchten.

Een paar honderd meter van hem verwijderd kwam een jachtgezelschap aanrijden van een stuk of twintig Erandatsjikrijgers, gezeten op langhoornige irollga's met een roodbruine vacht. Het geluid van hun hoeven werd gedempt door het dichte gras, maar ze reden recht op de heuvel af.

Forollkin voegde zich bij zijn broer en wilde dadelijk zijn boog pakken.

Kerisj schudde zijn hoofd. 'We moeten laten zien dat we vreedzaam zijn – en Sendaaka verzekerde me dat de Erandatsji's het zilver in mijn haar zouden respecteren.'

'Ze heeft ons ook verteld dat ze vreemdelingen doden,' zei Forollkin nors, maar hij bleef roerloos staan.

Gidjabolgo keek verbijsterd naar hen.

De Erandatsji's droegen mouwloze groene tunieken en verblindende scharlakenrode mantels. Hun gevlochten haar rinkelde van uit been gesneden sieraden en elke man had een korte speer in de ene hand en een opgerolde zweep in de andere. Ze hadden de reizigers blijkbaar al gezien, want de vooroprijdende ruiter riep iets en de speren werden geheven.

Gidjabolgo strompelde de helling op om zich bij de Galkiërs te voegen.

De Erandatsji's omsingelden de heuvel. Op een enkel bevel bleven de irollga's met gebogen koppen staan en de eerste ruiter steeg af en liep naar de rand van het gras.

Kerisj schatte hem op een jaar of veertig, want er liepen grijze draden door de kastanjebruine vlechten en zijn lichtgouden huid vertoonde diepe groeven.

Forollkin zag hoe breed de schouders van de man waren en

hoe sterk zijn armen en dijen en hij vermoedde dat hij nog altijd een geduchte tegenstander zou zijn bij een worstelpartij.
Zowel door zijn kalm-arrogante houding als door de bronzen wapens en sieraden onderscheidde hij zich als stamhoofd.
Hij nam Forollkin en Gidjabolgo met een korte blik op, maar keek lang en strak naar Kerisj voor hij sprak.
'Vreemdeling, waarom loop je op aan de Berggodin gewijde grond waar alleen haar torgi mag lopen?'
Het accent was vreemd, maar de man sprak Zindars en Kerisj verstond hem.
'Omdat ik het teken van de Godin draag,' antwoordde hij, 'en wij onder haar bescherming staan.'
Dit antwoord scheen het stamhoofd te bevredigen. Hij beduidde zijn mannen hun speren te laten zakken en sprak weer: 'Van welke stam ben je, vreemdeling? Waarom heb je je kring verlaten?'
'Mijn vader is een vorst van Galkis, ver weg in het oosten,' zei Kerisj aarzelend, 'maar mijn moeder kwam uit Erandatsjoe; haar naam was Taana, zij...'
Er klonk een gemurmel van verbazing onder de Erandatsji's en het stamhoofd stapte naar voren.
'Wanneer kwam je moeder naar het land van de Galkis? Hoeveel winters?'
Kerisj dacht even na. 'Tweeëntwintig.'
'En ze is dood?'
'Ja.'
'Kom hier.'
Kerisj gehoorzaamde en de leider raakte de zilveren lok in Kerisj' donkere haar aan.
'Die ogen van je,' zei hij. 'De ogen zijn vreemd, maar jij bent van haar en ik neem je op in onze kring, de kring van Tayeb.'
Hij legde zijn handen op Kerisj' hart en de Erandatsji's riepen een groet of een welkom.
'Maar wie zijn dit?' vroeg Tayeb. 'Het is onze wet dat wij vreemdelingen die onze heiligdommen zien doden.'
Kerisj wenkte Forollkin.
'Dit is de zoon van mijn vader.'
'Dan hoort hij ook bij onze kring.'
Tayeb legde zijn handen even op Forollkins hart.
'En de lelijkerd?'
'Dat is Gidjabolgo, onze reisgenoot.'
'Hij is geen familie van je?' vroeg Tayeb.
De prins schudde zijn hoofd.
'Dan is hij ook geen familie van ons en heeft hij het heiligdom bezoedeld.'

Tayeb riep een van zijn mannen die zich van zijn irollga liet glijden en kalm zijn speer hief om Gidjabolgo eraan te rijgen.

'Nee!' Kerisj stapte tussen Gidjabolgo en de van weerhaken voorziene speer die wilde toesteken. Met een vloek duwde Tayeb de man weg. De speer vloog in een kromme lijn uit zijn hand en boorde zich vlak voor de voet van de prins in de grond.

Forollkin zag de boosheid op Tayebs gezicht, maar voor hij tussenbeide kon komen had de leider Kerisj' polsen gepakt en gaf hem een harde klap op zijn wang.

De prins hapte naar lucht en viel bijna om. 'Ik heb het recht mijn reisgenoot te verdedigen!'

'Om het voor hem op te nemen, ja,' antwoordde Tayeb, terwijl hij Kerisj uit zijn pijnlijke greep losliet, 'maar niet om je leven te riskeren! Je bent nu van de stam. We hebben maar twee torgi en jouw leven is kostbaar. Als je je lichaam niet voor dwaze risico's wilt behoeden zul je gestraft worden totdat je het leert.'

'Jullie mogen Gidjabolgo geen kwaad doen,' zei Kerisj koppig, 'hij is mijn knecht, hij is van mij. Dat moesten jullie respecteren.'

Een van de stamleden zei zacht tegen de leider: 'Er is één ding waarvoor de lelijkerd op de Grote Bijeenkomst gebruikt zou kunnen worden.'

Tayeb fronste het voorhoofd. 'Dat zal de raad beslissen, tot dat tijdstip zal hij een slaaf van onze kring zijn. Jij, bloedverwant...' hij wendde zich tot Forollkin. 'Je hebt geen scharlaken mantel en je haar is niet gevlochten, en toch draag je wapens. Maak je aanspraak op de rang van krijger?'

'Ja, mijn eigen volk noemt mij een krijger,' antwoordde Forollkin ferm.

Tayeb knikte, maar de kleine roodharige man die over Gidjabolgo had gesproken nam Forollkin brutaal van het hoofd tot de voeten op en zei: 'Zijn wapens zijn vreemd, laat hem in de tenten van de vrouwen of van de oude mannen slapen.'

'Hij zal getoetst worden, Enecko,' beloofde Tayeb. 'Zijn vaardigheden zullen door de hele stam beoordeeld worden.'

Enecko glimlachte, alsof hij een punt had gewonnen in de een of andere oude wedstrijd en boog voor zijn stamhoofd.

'Bestijg je dieren,' beval Tayeb. 'We keren terug naar onze tenten en...' Het stamhoofd draaide zich haastig om toen elke irollga begon te bokken en te balken.

Lilahnee, die stilletjes in het lange gras had gezeten, had haar schuilplaats plotseling verlaten. Ze sprong naar Kerisj toe die haastig zijn armen om haar heen sloeg om de moeraskat tegen geheven speren te beschermen.

Tayeb had zijn bronzen mes getrokken, maar nu stopte hij het weer in de schede.

'Is dat dier van jou?'

'Zij vergezelt ons,' zei Kerisj.

Tayeb knielde bij Lilahnee neer. 'Ze lijkt op de grote witte jachtkatten die jonge irollga's doden, maar ze is kleiner en ik heb nog nooit een vacht van die kleur gezien.'

'Ze komt uit de moeraslanden,' legde Kerisj uit, 'en haar naam is Lilahnee.'

Tayeb glimlachte plotseling. 'Ze is heel mooi.'

Hij streelde haar kop en even later veranderde het gegrom van Lilahnee in gespin.

Toen stond Tayeb vlug op en beval zijn mannen de paarden te halen. Kerisj keek naar zijn broer die haast onmerkbaar zijn hoofd schudde. Voorlopig zat er voor hen niets anders op dan het stamhoofd te gehoorzamen.

Toen iedereen opgestegen was, riep Tayeb de prins toe naast hem te komen rijden. Kerisj was gefascineerd door de robuuste langharige irollga van het stamhoofd en de sieraden die aan het leren tuig en de beschilderde hoorns van het dier bengelden.

Tayeb stelde niet minder belang in de paarden.

'Ik heb één keer eerder een paard gezien, al was dat zwart. Het stamhoofd van de Bokeela's bereed er een naar de Grote Bijeenkomst. Ik weet dat hij er heel wat irollgahuiden voor heeft gegeven en dat het dier uit het oosten kwam, misschien wel uit jouw Galkis. Onze torga had gelijk toen ze zei dat alles aan jou vreemd zou zijn.'

'Jullie torga...?'

'Ze droomde dat we op de heilige plaats een torgoe zouden vinden, gezonden door de Godin in antwoord op mijn gebeden.'

'Daarom kwamen jullie ons tegemoet?'

'Ja, hoewel velen het niet geloofden en zelfs ik twijfelde.'

Kerisj probeerde de implicaties te verwerken van wat Tayeb vertelde. 'Waarom twijfelde je aan je torga. Heeft ze nooit eerder een ware droom gehad?'

'Slechts zelden, zoals alle torgi tegenwoordig; trouwens,' Tayebs stem werd zachter, 'ze is mijn dochter. Je kunt niet zo gemakkelijk geloven dat je eigen kind door de Godin kan worden aangeraakt.'

'Dat begrijp ik. Maar waarom geloofden de anderen het niet?'

Tayeb keek boos. 'Je zult merken dat niet alle leden van onze stam de Godin vereren of de Zielenjager op de nieuwe manier aanbidden. Sommigen prevelen dat de Godin ons heeft verlaten en nooit weer uit de hoge oorden zal afdalen. Ze zullen je weinig respect betonen als mijn dolk niet in de buurt is, maar dat zal gauw veranderen. Bloedverwant, welke naam heeft het volk van je vader je gegeven?'

'Kerisj, Kerisj-lo-Taan. Mijn broer heet Forollkin.'

Tayeb herhaalde de namen langzaam. 'De naam van Taana's eerste zoon behoort Talvek te zijn. Je broer moet ook een stamnaam hebben, maar die kan na de toetsing gekozen worden.'

Kerisj begon naar de toetsing te informeren, maar ze werden eensklaps aangeroepen door drie bereden krijgers.

'Wie komt er naar de tenten van de Sjeyasa's?'

'Het stamhoofd van de Sjeyasa's,' riep Tayeb.

De drie schildwachten gaapten de vreemdelingen aan en lieten hun speren zakken.

Het was de eerste van vele keren dat ze aangehouden werden en een kilometer of wat verderop zag Kerisj, precies over een kleine bult, de grote kudde die de schildwachten bewaakten. De zachtaardige wijfjes, die voor hun melk werden gehouden, liepen vrij te grazen, maar de felle irollgastieren waren gekluisterd en de ruinen die weldra moesten worden afgericht tot rijdieren, werden in geïmproviseerde omheiningen gehouden. Achter de kudde stonden bont geverfde leren tenten in kringen. De Erandatsji's stegen af en ondanks de protesten van de Galkiërs werden de paarden meegenomen om met de irollga's te grazen.

Tayeb sloeg met de reizigers een van de modderige paden in die tot diep in het kamp van de Sjeyasa's liepen. Vrouwen, oude mannen en kinderen gluurden uit hun tenten of lieten hun kookvuren in de steek om naar de vreemdelingen te kijken of gaven luidkeels hun verbazing over de moeraskat te kennen.

Tayeb wees naar Forollkin.

'Breng hem naar de tenten van de krijgers en maak hem gereed voor de toetsing.'

'Nee, ik wil bij mijn broer blijven,' zei Forollkin.

'Je zult hem zien voor het donker wordt,' antwoordde het stamhoofd en gebaarde naar zijn mannen.

Twee van hen pakten Forollkins schouders beet en duwden hem door de ingang van een grote rode tent. Kerisj hoorde zijn broer boos tegensputteren terwijl Tayeb haastig verder liep met hem.

Tenslotte stopten ze in wat het centrum van het kamp scheen te zijn: een kring van platgetrapte aarde, omringd door lage blauwe tenten, versierd met allerlei kleurige stukken vilt en behangen met stroken van gesneden been.

'Bloedverwant, we zullen in mijn tent samen wat drinken,' zei Tayeb. 'Breng de slaaf naar zijn plaats.'

Gidjabolgo werd beetgepakt en met een leren riem om zijn enkel vastgebonden aan een paal die voor een van de tenten stond.

'Hij mag je tent binnenkomen als je hem nodig hebt,' zei Tayeb, 'maar hij kan niet ver weglopen.'

Gidjabolgo schold zo hard als hij kon en rukte aan de riem, maar Kerisj was te ongerust over Forollkin om lang te protesteren.

Hij werd door de flap van een grote tent geduwd die door geborduurde gordijnen in verscheidene vertrekken werd verdeeld. Er waren geen meubels, alleen bontvellen op de met huiden bedekte vloer en hanglampen die op irollgavet brandden en een onaangename stank en een flakkerend licht verspreidden.

Kerisj imiteerde Tayeb en ging met gekruiste benen op een van de dikke bontvellen zitten. Bijna dadelijk kwam er een vrouw binnen met twee bronzen bekers, gevuld met gegiste en gekruide irollgamelk. Ze knielde gracieus waarbij haar gevlochten haar over de grond slierde en zette de bekers neer.

Ze was niet jong en ze was nooit mooi geweest, maar haar kalme grijze ogen en de glimlach die om haar lippen trilde bekoorden Kerisj.

'Hier is de torgoe uit Gweraths droom,' zei Tayeb, 'Kerisj-lo-Taan, dit is Eamey, de eerste vrouw van mijn tent.'

Eamey boog en maakte het teken van een kring met haar handen. Na een korte aarzeling deed Kerisj hetzelfde.

'Welkom, stamgenoot.' Haar stem was laag en vol.

'Het is als bloedverwant van mijn kring dat je hem welkom moest heten,' zei Tayeb. 'Taana leefde nadat haar kring was verbroken nog lang genoeg om een zoon ter wereld te brengen.'

'Is ze dood?' vroeg Eamey. 'Ik heb vaak gebeden dat de speer van de Jager haar een snelle dood mocht brengen.'

'Mijn moeder stierf bemind en geacht,' zei Kerisj. 'Hebt u haar gekend?'

Tayeb sprak eerst tegen Eamey. 'Ga mijn dochter halen,' en dan tegen Kerisj: 'Taana was mijn enige zuster.'

'Je zuster!'

Tayeb glimlachte en hief zijn beker. 'Gwerath heeft goed gedroomd en ik prijs de Godin dat ze mijn zuster-zoon naar huis heeft gezonden. Onze kring is weer compleet.'

Hij dronk en de prins nam ook een slok van de zurige drank.

'Oom...' Kerisj genoot van het woord, 'oom, mijn broer mag niet worden gedeerd.'

'Hij ziet er sterk uit,' zei Tayeb, 'hij zal geaccepteerd worden, wees maar niet bang.'

'Geaccepteerd door wie?'

'Door de krijgers van onze stam. Is het in je vaders stam dan anders?'

'Tayeb, alles is anders in de kring van mijn vader. Ik weet niets van jullie stam of zijn gebruiken.'

'Niets?' Tayeb zette zijn beker neer. 'Dan moet mijn dochter je onderwijzen. Kennis doet er niet toe als de macht er maar is en niemand kan ontkennen dat jij de Godin toebehoort. Heeft zij je een droom gezonden om je naar huis te leiden?'

'Nee. Oom, je moet begrijpen, we waren niet van plan hierheen te gaan en we kunnen hier niet lang blijven...'

Tayeb glimlachte. 'Je zult blijven en leren begrijpen wat ze met je voorheeft. De kring mag niet verbroken worden. De Jager heeft zijn speer laten zakken.'

Vóór Kerisj kon vragen wie de jager was, was Tayeb opgestaan om een jong meisje te begroeten dat haar armen om zijn hals sloeg.

'Twijfel je nu nog aan mijn dromen, vader?'

Haar ernstige gezicht en de trotse houding van haar kin werden tegengesproken door de vrolijkheid in haar stem.

Tayeb duwde haar zacht weg. 'Je droom heeft ons niet het beste nieuws verteld; dat we je neef zouden begroeten.'

'Neef!' Ze draaide zich om en staarde Kerisj ongegeneerd aan.

Hij keek terug en schatte dat Gwerath iets jonger was dan hij. Ze droeg jongenskleren en had een benen dolk aan haar riem; maar haar haar, een dikke wirwar van het zuiverste zilver, viel ongehinderd tot op haar heupen.

Kerisj had nauwelijks tijd om de honingkleurige huid, de grote grijze ogen en de kleine neus, wat krom omdat hij ooit was gebroken, in zich op te nemen voor Gwerath voor hem neerknielde en haar handen in een kring op haar hart legde.

'Welkom bloedverwant,' zei ze. 'Je ziet er net zo uit als in mijn droom. Ik heb je toch over de ogen gesproken, niet vader? Violet en goud en zwart!'

'Je hebt me ook gesproken over twee purper en gouden vogels die vochten om een zilveren veer die op de wind zweefde en waar zijn die?'

De sprankelende bron van Gweraths lach droogde opeens op en Kerisj had met haar te doen.

'Het was ongetwijfeld het symbool van de een of andere grote waarheid, neef.'

'Ben je bedreven in het uitleggen van dromen? Dat is goed,' zei Tayeb. 'Gwerath, breng je neef naar zijn tent en zorg ervoor dat hij de passende kleding krijgt. Ik kom je voor de toetsing halen wanneer het tijd is.'

'O neef, wat een prachtig dier en moet je die gouden ogen zien!' Zonder een spoor van angst knielde Gwerath neer om de moeraskat te strelen. Lilahnee's staart zwiepte ongeduldig heen en weer, maar ze liet zich aanhalen.

'Dochter!'

'O ja, kom, neef... ik weet niet hoe je heet...'

'Kerisj.'

Ze verlieten de tent van het stamhoofd en Gwerath bracht Kerisj naar een blauwe tent die overdadig voorzien was van kussens en bontvellen. De bagage van de prins lag op een hoop in een hoek en enige vreemde kleren en sieraden waren op een stromatras gereed gelegd.

'Kijk, ik heb alles al gereed gelegd,' verkondigde Gwerath. 'Ik wist dat je zou komen. De Godin zendt me niet zoveel dromen, maar van deze was ik zeker. Je hebt prachtige dingen bij je. Komen die echt uit Galkis? Is het waar dat daar een groot stamhoofd woont in een stad die helemaal van goud is?'

Kerisj was geamuseerd, maar deed zijn best het niet te tonen. 'Wel, de muren van de Binnenstad zijn met lagen goud bedekt, zodat de mensen de stad het gouden Galkis noemen.'

'Heb jij die gezien, ben je er echt geweest?'

'Ik heb er mijn hele leven gewoond,' verzekerde Kerisj haar, 'tot we op reis gingen.'

'O neef, er is toch zoveel dat ik je wil vragen, maar nu is er geen tijd voor. Hier zijn de kleren die je moet dragen.'

Ze pakte een zacht wit en blauw gewaad, een leren tabberd en een met hoornen kralen geborduurde hoofdband. 'Zal ik je haar voor je opbinden? Zonder hulp lukt mij dat nooit.'

Kerisj weigerde vriendelijk.

'Dan zal ik je helpen met aankleden,' bood Gwerath aan.

'Nee, dank je wel, nee.'

Gwerath maakte nog steeds geen aanstalten weg te gaan en daarom vroeg Kerisj: 'Moet jij je niet kleden voor de toetsing?'

'O ja, dat moest ik maar gaan doen, anders kom ik te laat en dan is mijn vader boos. Mijn tent is tegenover die van jou, neef, als je me nodig hebt.'

Toen ze weg was worstelde Kerisj met de hoofdband om zijn weerspannige haar, trok zijn reiskleren uit en kleedde zich in de gewaden van een torgoe van de Sjeyasa's.

Er werden Forollkin wapens aangeboden, maar hij gaf de voorkeur aan zijn eigen zwaard, mes en boog. Hij verzette zich tegen pogingen om zijn haar te vlechten, dronk een kom irollgamelk, wenste dat hij het niet had gedaan en zat zich zorgen om Kerisj te maken tot drie krijgers hem kwamen halen.

Forollkin werd naar de rand van het kamp gebracht waar de felste jonge stieren stonden te loeien en te stampen en hun gele oogjes naar de luidruchtige menigte rolden. Om de omheiningen had zich bijna de hele stam verzameld, krijgers met hun scharlaken mantels die op hun speren leunden, in het zwart geklede stamoudsten, vrouwen met kinderen die aan hun wijde rokken trokken, slaven met halsbanden om.

Boven hen allen wapperde de banier van de Sjeyasa's, geborduurd met de symbolen van de stam, een speer die een windbloem spietste, tussen twee palen van kostbaar hout uit het verre Seld.

Het stamhoofd van de Sjeyasa's zat op de enige kruk in het hele kamp en werd omringd door de raad van krijgers en stamoudsten.

In hun midden zag Forollkin een meisje met een dikke bos gevlochten zilver haar die haar welgevormde hoofd achterover trok en te zwaar leek voor haar slanke hals. Een in het blauw gekleed meisje dat een soort van rusteloze energie uitstraalde die zeldzaam was in een vrouw. Naast haar stond Kerisj.

Toen Gwerath de blik van de vreemdeling beantwoordde, zag ze een jongeman die langer was dan enige krijger in de stam, wiens bruine huid slechts een nuance lichter was dan zijn lange loshangende haar en wiens ogen van grijs plotseling violet werden.

Niets van de spanning die Forollkin voelde bleek uit zijn kalme gezicht of zijn sterke handen, behalve een licht kloppen van het witte litteken op zijn wang.

Tayeb, die met een groep stamoudsten had gepraat, stond plotseling op, nam Kerisj bij de arm en leidde hem naar voren. De menigte verdrong zich om de vreemdelingen beter te kunnen zien en kinderen werden op de schouders van hun ouders getild. Het stamhoofd gebaarde om stilte.

'Stamgenoten, hier is Talvek-Kerisj, mijn zuster-zoon. Hier is een nieuwe torgoe voor de Sjeyasa's. Heet hem welkom!'

Er klonken wat kreten van welkom, hoofdzakelijk van de vrouwen, maar er was ook gemurmel van twijfel en hier en daar het norse geluid van open vijandigheid.

Enecko kwam naar voren.

'Wij heten je bloedverwant welkom, stamleider, maar hoe kunnen wij weten dat hij waarlijk een torgoe is?'

'Heb je soms je ogen voor die van je irollga geruild, stamgenoot? Kun je het teken van de Godin niet zien?'

'Dat zie ik, stamleider, maar hij zou toch stellig niet als torgoe erkend mogen worden tot hij de toetsing heeft ondergaan. Is dat niet het oude gebruik, torgoe van de Jager?'

Hij sprak tegen de tengerste van de stamoudsten, een oude, onder het gewicht van zijn zwarte en scharlaken gewaden gebukt gaande man die op twee speren steunde.

'De oude gebruiken zijn dood, bloedverwant,' mompelde de torgoe, 'maar als de stam hem niet wil erkennen moet hij getoetst worden.'

'Wat zegt de torga van de Godin?' vroeg Tayeb.

'Laat hem getoetst worden bij het feest van de voorjaarskalveren,' antwoordde Gwerath kalm. 'Ga je daarmee akkoord, bloedverwant?'

'Ja,' zei Kerisj hulpeloos, niet wetend waar de woordenwisseling over ging, maar Tayebs boosheid voelend.

'Breng dan nu de ander hier,' beval Tayeb. 'Bloedverwant, wil je nog altijd de status van krijger van de stam opeisen?'

'Dat wil ik,' antwoordde Forollkin rustig.

'Eerst moet de stier van de kudde je accepteren. Dan moet je ons laten zien hoe goed je met een speer kunt omgaan en dan moet je vechten tegen een krijger die de torgoe zal aanwijzen. Je wordt nu naar de omheining gebracht. Je moet voor Igesjoe knielen en het is verboden de wapens tegen hem te trekken. Veel geluk, bloedverwant en denk erom,' zei Tayeb, veel zachter, 'houd je heel stil.'

De krijgers brachten Forollkin in een lege omheining en maakten daarna het hek stevig vast. Hij knielde met gebogen hoofd en concentreerde zich op een kort vormelijk gebed tot Imarko.

De Sjeyasa's verdrongen zich bij de leren touwen, zwijgend en verwachtingsvol.

Forollkin hoorde het hek aan de andere kant van de omheining opengaan en het plotselinge gefluister van eerbied en angst. Terwijl hij alleen zijn ogen bewoog keek Forollkin op.

De zware irollgastier stond op ongeveer een halve meter van hem vandaan en snoof argwanend. Zijn slechte ogen zagen Forollkin slechts vaag, maar het dier rook hem goed. De stier krabde geïrriteerd op de grond en liet zijn grote kop zakken.

Forollkin sloot zijn ogen in het besef dat het belangrijkste was de fysieke sporen van angst te beheersen die een aanval konden uitlokken. Hij hoorde de zware stap van het dier toen het naar hem toeliep en het zweet sijpelde langs zijn rug.

Het was nog erger niet te weten hoe dichtbij de dood misschien was. Forollkin opende zijn ogen op een spleetje en door zijn wimpers heen zag hij de grote kop van de stier dichtbij hem. Zo dichtbij dat hij kon zien dat de afschilferende verf op de lange wrede hoorns bedekt werd door donkerder vlekken. Zo dichtbij dat hij de bloemen kon tellen in de bespottelijke krans om de hals van het beest; zo dichtbij dat hij even later de hete adem van de stier op zijn gezicht voelde.

Forollkin sloot zijn ogen weer en deed tevergeefs zijn best zijn strakke lichaam te ontspannen. Log liep het dier om hem heen; één keer streek zijn dikke vacht langs Forollkins schouder, maar hij bewoog niet. Eén keer gaf de stier hem een bijna vriendelijke stoot en de punt van een hoorn drong in zijn rug. Even later verdween die druk.

Forollkin klemde zijn handen ineen in een poging het beven te beheersen en toen riep Tayeb hem. Hij keek op. De stier was weggelopen en stond in een hoek zonder notitie van hem te nemen. Het hek leek heel ver weg en het viel niet mee om de stier zijn rug toe te draaien en er kalm naar toe te lopen.

Forollkin morrelde aan de grendel, toen ging het hek open en hij was buiten.

Tayeb lachte tegen hem. 'Je bent geëerd, bloedverwant, Igesjoe accepteert je als een van hem.'

Forollkin probeerde de blik van zijn broer op te vangen en zijn opluchting met hem te delen, maar het gezicht van Kerisj was onbewogen.

Even kwam de absurde gedachte bij Forollkin op dat hij naar een lege schaal keek, dat er niets achter die fonkelende ogen lag. Hij probeerde dat gevoel van zich af te zetten en te luisteren naar wat Tayeb zei: '...je moet het doel tussen de lippen raken.'

De menigte was achteruitgegaan en het stamhoofd wees naar een leren schild dat aan een paal in de verte was opgehangen en beschilderd was met een grotesk gezicht.

Tayeb nam een benen speer aan van de torgoe van de Jager die mompelend de speer kort zegende. 'Je mag maar één keer werpen,' zei hij en overhandigde Forollkin de speer.

De jonge Galkiër herinnerde zich de laatste keer dat hij een speer zuiver had zullen werpen. Dat had hem bijna het leven gekost.

'Tayeb, ik ben niet behendig met de speer...'

'Niet behendig? Wat is een krijger zonder zijn speren? Je kunt een wilde irollga niet met een mes doden, tenzij hij al gewond is...'

'Ik zou hem hiermee doden,' zei Forollkin luidkeels. Hij pakte zijn boog en trok een pijl uit zijn kostbare voorraad.

'Kun je met dat wapen het doel van hier raken?' vroeg het stamhoofd.

'Wel op tweemaal deze afstand,' verklaarde Forollkin lichtzinnig.

Enecko's stem verhief zich boven het verbaasde gemompel.

'Dit wapen is onze stam en de traditie van de Jager vreemd; hij behoort het niet te gebruiken.'

'Dat moet de raad beslissen,' snauwde Tayeb.

Stamoudsten en krijgers omringden het stamhoofd en spraken vlug met elkaar terwijl de menigte rusteloos werd en Forollkin zenuwachtig aan zijn boogpees trok.

'Het is goed,' zei Tayeb tenslotte, 'je mag je gevederde stokken gebruiken, op tweemaal de afstand zoals je pochte.'

Forollkin liep naar de rand van de omheiningen en draaide zich naar het doel om. Zijn boog was licht en klein, met een bereik van een paar honderd meter en zelfs de beste pijlen zouden uit de baan kunnen vliegen.

Terwijl Forollkin een pijl op zijn boog zette, verstrakte Kerisj' lichaam tegelijk met de boog en zijn hele geest trachtte Forollkin te beïnvloeden om te slagen. Met gracieuze kracht spande de Galkiër zijn boog en liet een goed gerichte pijl los. De pijl zonk diep in het doel, tussen de grijnzende lippen.

Binnen enkele tellen had hij er een tweede pijl naast geplaatst en krijgers in hun scharlakenrode mantels verdrongen zich om het schild.

'Je wapen is goed,' zei Tayeb. 'Zou je ons kunnen leren hoe je het gebruikt, hoe je zulke wapens maakt?'

'Jazeker,' stemde Forollkin toe, 'als je er hout voor hebt.'

Tayeb lachte en sloeg Forollkin op de schouder. 'Horen jullie dat, stamgenoten? De Godin heeft ons een geschenk gezonden en Geschenk-brenger zal je naam zijn, stamgenoot.'

'Hij moet vechten voor bewezen is dat hij een man is.'

Het was de krakende stem van de torgoe van de Jager.

Tayeb knikte. 'Bloedverwant, als je zegevierend uit het gevecht te voorschijn komt zul je in de tenten van de krijgers slapen en het krijgersdeel ontvangen. Als je sterft zul je de begrafenis van een krijger hebben. Torgoe van de Jager, noem zijn tegenstander.'

Er was een gretige beweging naast de torgoe en de oude man prevelde: 'Enecko.'

'Bloedverwant,' zei Tayeb, 'je mag vechten met speer, dolk of met je handen, aan jou de keus.'

'Met mijn handen,' antwoordde Forollkin onmiddellijk.

'Je hebt dapper gekozen,' kraste de torgoe. 'Enecko is de beste worstelaar van de stam.'

Dat kon bij mijn ongelukkige gesternte niet missen, dacht Forollkin en hij begon zijn tuniek uit te trekken.

7
Het Boek der Keizers: *Beloften*

Je hebt geleerd aan je medemensen te denken en hen te helpen en dat is goed; toch zeg ik je dat wij de levens van anderen niet mogen weven, zeggende 'Dit patroon is beter dan een ander.' Elk mens moet zijn eigen patroon weven met de draden die hem worden gegeven en in elk mens is een plek waar Zeldin zelf niet ongevraagd binnengaat.

Forollkin en Enecko legden hun wapens op een hoop aan Tayebs voeten. De torgoe van de Jager raakte beide mannen even aan met de speer in zijn rechterhand.

'Draag aan de Zielenjager zijn eigen gaven van kracht en moed op.'

Enecko boog voor de torgoe en voor de banier van de stam en Forollkin volgde zijn voorbeeld.

'Wat zijn de regels van dit gevecht?' vroeg hij.

'Je tegenstander verslaan,' antwoordde Tayeb bars. 'Begin.'

Forollkin had het voordeel van zijn lengte maar nu ze beiden alleen laarzen en een broek aan hadden, zag hij dat Enecko zwaar gebouwd was met handen die eruitzagen alsof ze steen konden vermorzelen.

'Begin,' herhaalde Tayeb en de krijger van de Erandatsji's viel aan en schopte Forollkin tegen zijn scheenbeen met een gelaarsde voet.

Vloekend terwijl hij achteruitsprong besefte Forollkin eindelijk dat dit geen ceremoniële wedstrijd was die volgens koninklijke regels werd gehouden. Om te winnen moest hij hoffelijkheid vergeten. Hij had nog net een ogenblik om te wensen dat Kerisj niet keek voor Enecko weer aanviel.

Forollkin probeerde zijn tegenstander een beentje te lichten, maar Enecko greep het haar van de Galkiër zodat die even zijn evenwicht verloor en probeerde ondertussen hem een kniestoot in de lies te geven. Forollkin draaide zich om, ving de stoot op zijn dij op en gromde toen zijn armen zich om Enecko's ribben sloten. De Erandatsji probeerde niet de persende handen weg te trekken. Hijgend concentreerde hij zich op schoppen om Forollkin weer zijn evenwicht te doen verliezen, maar nu had de Galkiër de overhand en met één snelle onverwachte beweging trok hij zijn tegenstander op de grond.

Ze vielen samen, Forollkin bovenop Enecko die hij nog

steeds in zijn wrede omarming hield. Toen drukte de duim van Enecko bijna een oog van de Galkiër in. Snakkend naar adem door een gelijktijdige schop in zijn maag draaide Forollkin zijn hoofd om en beet in Enecko's hand, maar intussen had Enecko zich uit zijn greep losgemaakt.

Enecko's spieren spanden zich voor een nieuwe aanval en de toeschouwers zagen de mannen over de grond rollen terwijl ze hun best deden het nabije lichaam van de ander zoveel mogelijk schade toe te brengen.

Weldra leek het dat Forollkins kracht en wil verslapten. Een lang ogenblik lag hij hulpeloos onder Enecko en zijn knokkels waren wit van de inspanning terwijl hij tevergeefs probeerde zijn tegenstander weg te duwen. Toen greep Enecko weer het haar van de Galkiër om zijn hoofd omhoog te rukken en tegen de grond te smakken.

In een opborreling van nieuwe kracht welfde Forollkin zijn lichaam, duwde zich op en rukte zich los uit Enecko's greep. Hij rolde weg, buiten bereik van Enecko en sprong overeind voor de Erandatsji kon opstaan.

Forollkin sprong bovenop hem zodat hij zijn tegenstander met het hele gewicht van zijn lichaam tegen de grond kwakte en sloeg vervolgens zijn handen om Enecko's keel.

Nu Forollkin hem zo op de grond hield kon Enecko slechts spartelen als een gespieste vis en zijn nagels in de handen van de Galkiër boren. Binnen enkele seconden besefte hij dat deze wapens nutteloos waren. Forollkin dwong het hoofd van zijn tegenstander onverbiddelijk in de richting van zijn borst met de wetenschap dat die druk 's mans nek zou breken.

Radeloos trommelde Enecko met zijn handen op de grond en Tayeb stapte naar voren. 'Bloedverwant, hij vraagt om genade!'

De trek van wrede concentratie op Forollkins gezicht veranderde niet en Tayeb verwachtte elk moment het misselijk makende gekraak van botten te zullen horen. 'Bloedverwant!'

Abrupt trok Forollkin zijn handen weg, hoewel hij geknield op zijn tegenstander bleef zitten.

'In naam van de stam vraag ik je je over te geven,' zei Tayeb, 'en je leven voor ons te sparen.'

'Ik geef me over,' fluisterde Enecko.

Forollkin ging op zijn hurken zitten, met een versufte blik. Enecko kwam onvast overeind en wreef zijn pijnlijke hals.

'Stamgenoot, je plaats is op de jacht en in de strijd voortaan achter de nieuwe krijger,' zei Tayeb met een onbewogen gezicht, maar het duurde een hele poos voor Enecko voor zijn stamhoofd boog.

'Geschenk-brenger,' Tayeb raakte Forollkins schouder aan en de Galkiër hees zich overeind om hem aan te kijken. 'Geschenk-brenger, je bent de Sjeyasa's welkom als krijger.'

De torgoe van de Jager knikte tegen een van zijn helpers die met een scharlaken mantel naar voren kwam en om Forollkins schouders hing. Een tweede man hief een scharlaken hoofdband, maar het meisje met het zilveren haar griste de band opeens uit zijn handen.

'Ik zal hem kronen,' verklaarde ze, 'hij is een krijger voor de Godin.'

Forollkin moest bukken om haar de band om zijn hoofd te laten binden.

'Welkom, bloedverwant,' fluisterde ze en stapte achteruit.

'Krijgers,' riep Tayeb, 'heet jullie broeder welkom.'

Forollkin werd door elke krijger van de Sjeyasa's omarmd en helemaal tot slot door Enecko: 'Welkom, stamgenoot.'

'Nu escorteren je broeders je naar je tent,' zei Tayeb, 'en als de maan opkomt richten we een feest voor je aan.'

'Bedankt, maar ik moet eerst met mijn broer spreken.'

Kerisj stond heel rustig en stil te kijken, zonder Forollkin aan te zien.

'Later, bloedverwant,' antwoordde Tayeb, glimlachend maar onvermurwbaar en Forollkin werd naar de scharlaken tenten van de krijgers gebracht.

Het werd weldra duidelijk dat hij door Enecko te verslaan net zoveel vrienden als vijanden had gemaakt. Forollkin sloeg weer een kom irollgamelk achterover, legde het functioneren van zijn boog de nodige keren uit, wisselde sterke verhalen uit en haalde tenslotte een van de krijgers ertoe over hem naar de tent van de nieuwe torgoe te brengen.

Kerisj lag op zijn rug, met zijn arm om Lilahnee. De prins draaide mat zijn hoofd om toen Forollkin de tent binnenkwam. Zijn ogen waren donker van vermoeidheid en leken groter dan ooit in zijn bleke strakke gezicht.

'Welkom krijger,' zei hij zacht.

Forollkin lachte. 'Begin jij nou ook niet nog eens!'

Hij keek rond in de kale tent. 'Geen stoel in het hele kamp te bekennen! Ik ben het beu op de vloer te zitten en wat die kommen stinkende melk betreft die ze me maar blijven geven, ik heb nu al hoofdpijn zonder het genoegen me eerst dronken te hebben gevoeld. Wel, wat heeft Tayeb tegen je gezegd en wat bij Imarko is een torgoe?'

'Een soort priester, een droom-uitlegger, geloof ik... Tayeb zei... Tayeb is mijn oom.'

'Je oom!' Forollkin ging naast zijn broer op de strozak zit-

ten. 'Dan ben ik blij voor je, Kerisj.'
'Blij?'
'Je moet toch gelukkig zijn dat je hem gevonden hebt, hij kan je zoveel over je moeder vertellen.'
'Ja. Hij heeft een dochter, Gwerath, mijn nichtje. Het meisje dat jou kroonde. Zij is de torga van de Berggodin. Je weet wie dat is?'
'Sendaaka,' zei Forollkin ongerust. 'Misschien moesten we maar niets over haar zeggen.'
'Gwerath gelooft dat de Godin haar een droom over ons heeft gezonden. Anders hadden ze ons nooit gevonden.' Kerisj kwam overeind. 'Maar waarom zou Sendaaka dat doen? Elke dag die we langer hier blijven vertraagt onze reis en belet ons Saroc te bereiken om hem naar haar toe te sturen, zodat hij haar naar huis kan brengen!'
Forollkin zei peinzend: 'Als ze die droom heeft gezonden, nou ja, dan moet ze het belangrijk hebben gevonden dat wij de Sjeyasa's leren kennen.'
'Om hen te vertellen dat hun Godin een valse godin is?'
'Ze moet gewild hebben dat jij je familie vond,' vervolgde Forollkin. 'Een kort oponthoud zal onze speurtocht niet deren en Sendaaka heeft eeuwen gewacht.'
'Als het kort is,' zei Kerisj en ging weer liggen. 'Ik denk niet dat Tayeb van plan is ons te laten gaan.'
'Dan zal ik hem op andere gedachten brengen,' zei Forollkin, alsof hij een kind troostte.
Kerisj glimlachte scheef. 'Forollkin de krijger zal hem op andere gedachten brengen.'
'De krijger... weet je, Kerisj, in dat duel met Enecko had ik het gevoel alsof ik twee mensen was die aan het vechten waren.' Forollkin keek naar zijn handen. 'Alsof er een schim in mijn binnenste was die me kracht gaf, maar mij ook dwong tegen mijn wil te handelen. Ik had bijna de nek van die kerel gebroken. Het was niet nodig, maar ik wilde hem doden.'
Kerisj haalde zijn schouders op. 'Spanning, ze kan ons opbreken, meer dan we merken – en later is het moeilijk om te weten hoe het allemaal precies in zijn werk is gegaan.'
'Misschien, en toch had ik het gevoel alsof iets buiten me in mij was binnengeglipt en...'
'Hoe kan dat nu?' snauwde Kerisj. 'Weet jij waar ze de paarden heengebracht hebben?'
'Nee, dat weet ik niet, maar ik ben van plan om...'
De tentflap zwaaide plotseling open en Tayeb kwam binnen.
'Bloedverwant, ik kom je halen voor je feest.'
'Dank je,' zei Forollkin. 'En Kerisj?'

Het stamhoofd schudde zijn hoofd. 'Dit feest is alleen voor mannen, voor krijgers. Er zal je voedsel worden gebracht, zuster-zoon en als je eenzaam bent, zal mijn dochter je gezelschap houden.'
'Ik begrijp het,' zei Kerisj moedeloos. Hij streelde Lilahnee en scheen geheel in het dier verdiept.
'Kom, Geschenk-brenger.'
Met een ongeruste blik op zijn onbewogen broer ging Forollkin met Tayeb op weg naar zijn overwinningsfeest.

Kerisj zocht Gwerath niet op. Hij bleef stil liggen tot er een kom kwark werd gebracht voor zijn avondeten. Toen hij gegeten had, nam hij zijn zildar, stemde hem en begon te spelen. Pas toen schoot Gidjabolgo hem te binnen. Hij glipte de tent uit en riep de Forgiet op gedempte toon. Gidjabolgo had de hele lengte van zijn kluister benut om achter de tent weg te kruipen, uit het gezicht. Nu hinkte hij naar de prins toe.
'Mijn edele meester ontbiedt zijn slaaf?'
'Neem me niet kwalijk, Gidjabolgo, ik was je vergeten,' zei Kerisj eerlijk, 'tot mijn muziek me aan je herinnerde.'
Voor één keer leek Gidjabolgo geen scherp antwoord klaar te hebben. 'Uw muziek deed u aan mij denken?'
'Ja, kom de tent in, dan kun je tenminste beschut slapen en morgen zal ik ervoor zorgen dat Tayeb je loslaat.'
'En waar is mijn andere edelmoedige meester?'
'Op zijn overwinningsfeest. Hij vocht een duel en won. Hij is nu een krijger van de Sjeyasa's.'
'Dus kracht overwint en rede kan verkwijnen.'
Kerisj wierp de Forgiet een bontvel toe. 'Daar kun je op slapen.'
Gidjabolgo maakte het zich redelijk gemakkelijk en at Kerisj' avondeten op dat hij voor de helft had laten staan.
'Dus nu ben je een priester van onze droefgeestige tovenares,' zei Gidjabolgo bij de laatste hap kwark.
'Bij Imarko,' prevelde Kerisj, 'als je iemand hier vertelt wat je van Sendaaka weet zal ik je tong afsnijden.'
'Ik zal niets zeggen. Zij zullen hun dwaasheid gauw genoeg kennen wanneer hun Godin hen verlaten heeft en misschien zal het jou leren over de jouwe na te denken.'
'Ik vind het heel naar voor je, Gidjabolgo,' begon Kerisj.
'Nee, dat geloof ik niet,' zei de Forgiet koel, 'je bent alleen boos en een beetje bang dat je op gedachten zult worden gebracht die je liever niet hebt.'
Gidjabolgo scharrelde naar de tentflap.
'Mijn geleuter heeft mijn hoffelijke meester mishaagd, ik zal

u verlaten.'

Kerisj beheerste zijn boosheid, duwde Lilahnee van zijn schoot en pakte zijn zildar. 'Ga weg of blijf, zoals je verkiest.'

Hij boog zich over het instrument en begon een klaaglied uit Ver Tryfarn te spelen. Het ging over de obsessie van een jongeman met de Verste Bergen en de vergeefse pogingen van zijn lief om hem te beletten erheen te gaan. Hij was nooit teruggekeerd over de grazige weiden van Morolk en het lied eindigde met de vloek van het meisje over alle verre schoonheid.

Daarna speelde Kerisj een ingewikkelde dansliedjessuite en improviseerde variaties. Gidjabolgo zat stil te luisteren en het was bijna een uur later toen hij zei: 'Meester, u wordt moe. De noten zingen in uw brein, maar uw vingers hakkelen. Laat mij u in slaap spelen.'

Kerisj aarzelde.

'Ik beloof je,' zei Gidjabolgo, 'dat mijn woorden zo tam als melk zullen zijn en kan muziek brutaal zijn?'

'Speelde je ook voor je meesters in Forgin?' vroeg Kerisj.

'Schunnige en hatelijke liedjes, ja, maar ik heb muziek in mij die ik niet verkoop.'

'Laat het me horen.' Kerisj gaf de Forgiet zijn prachtige zildar en ging achterover liggen met zijn armen om de spinnende moeraskat.

Gidjabolgo tokkelde een lieflijke melodie en zijn stem voegde er het klotsende ritme van de zee aan toe. Hij zong van schepen die een veilige haven bereikten en van zeevogels die als boodschappers van de hoop rondscheerden.

Naarmate de harmonie smeltender werd zag Gidjabolgo de spanningen in Kerisj' lichaam wegtrekken. De prins glimlachte dromerig en sloot zijn ogen. Toen de Forgiet er zeker van was dat Kerisj sliep, legde hij de zildar eerbiedig neer en blies de lampen uit.

Toen Kerisj de volgende morgen wakker werd was Gidjabolgo de tent al uitgeslopen en het eerste dat hij zag was de gelaagde rok van een vrouw en de einden van twee kastanjebruine vlechten waaraan hoornen spelden hingen.

Eamey boog zich over hem heen. 'Goedemorgen, bloedverwant.'

Ze zette twee borden neer. 'Ik heb kaas en melk voor jou en vers vlees voor je dier meegebracht.'

Kerisj kwam haastig overeind. Hij had met zijn kleren aan geslapen, maar iemand had een deken over hem gelegd.

'Dank je... bloedverwante.'

'Als je gegeten hebt, moet je naar Gweraths tent gaan. Je broer zal je daar ontmoeten, als hij tenminste voor de middag wakker wordt,' zei Eamey met een glimlach. 'Gwerath zal je het kamp laten zien. Als je wat tijd hebt, moet je naar mijn tent komen en met me over Taana praten.'

'Ik heb haar nauwelijks gekend,' antwoordde Kerisj stug. 'Ik was heel jong toen ze stierf.'

'Maar je vader leeft nog en zij hield van hem?'

'Ik geloof van wel.'

'Dan zul je me dingen over Taana vertellen wanneer je over hem praat.'

Eamey zweeg en zei dan vriendelijk: 'Bloedverwant, ik geloof dat je even bang voor mij bent als ik voor jou.'

'Bang!'

'Taana was mijn liefste vriendin, ze stond me nader dan een zuster.'

Eamey knielde neer in een deining van blauw en vuurrood leer.

'Ik kan niets van haar in jou zien en toch heb je de macht om de Taana te verdrijven die in mijn herinnering leeft. Denk jij dat ik jou de moeder van je dromen wil afnemen? Misschien heb je gelijk, maar als we elkaar vertellen hoe ze voor elk van ons was, kunnen we ons een nieuw beeld van haar gaan vormen.'

'Ik kom zodra ik kan,' zei Kerisj.

Eamey boog zich voorover en kuste hem op het voorhoofd.

Toen Lilahnee elk stukje vlees van haar bord getrokken, door het stof gerold en langzaam opgegeten had en Kerisj zijn eigen ontbijt had verorberd, trok hij zijn reiskleren weer aan. De blauwe leren tuniek en broek leken op de kleding van de Erandatsji's – alleen door zijn gelaatskleur zou hij opvallen.

De prins riep Gidjabolgo, maar de Forgiet was niet meer aan zijn paal vastgebonden en was nergens te zien.

Met Lilahnee op zijn hielen liep Kerisj naar de tent van zijn nichtje. Daar zaten Gwerath en een stuk of zes vrouwen met gekruiste benen in een kring met een groene banier tussen hen uitgespreid. Gwerath liet haar benen naald vallen en sprong op om Kerisj en Lilahnee te begroeten; ze negeerde het angstige gesnater van de andere meisjes bij het zien van de moeraskat.

'Welkom, bloedverwant. Kijk, we naaien jou op je plaats.'

'Wat?'

'In onze kring.' Ze knielde neer en duwde een handvol zacht leer naar Kerisj toe. Hij knielde ook om het te bekijken en Lilahnee ging naast hem zitten, grommend tegen de nerveuze meisjes.

De banier was geborduurd met in elkaar grijpende kringen

die elk een kleurig symbool bevatten.
'Kijk, hier is het scharlakenrood van de krijger, dat is voor je broer.'
Gweraths vingers waren slank en welgevormd, maar haar nagels waren gescheurd en vuil. Ze was weer als jongen gekleed en haar haar was losgeraakt uit de halfslachtige vlechten.
'En dit is de windbloem in wit en blauw voor een torgoe van de Godin. Tenminste, zo zou het moeten, maar ik ben niet zo goed in het maken van bloemen.'
'En is je hele familie hier geborduurd? Je moet eeuwig aan het naaien en nog eens naaien zijn.'
Gwerath knikte. 'Het uithalen is heel vervelend. Ik ben blij dat ik alleen onze eigen kring moet maken.'
'Hoeveel kringen zijn er?' vroeg Kerisj.
De andere meisjes hadden hun naalden weer gepakt en bogen zich over de banier, terwijl ze door hun neergeslagen wimpers naar hem gluurden.
'Zeventig,' antwoordde Gwerath met de nodige trots, 'hoewel ze natuurlijk allemaal verbonden zijn. Dat zie je op de banier.'
'Dus mensen kunnen buiten hun eigen kring trouwen?'
'Trouwen?' Het Zindarse woord scheen de torga niets te zeggen.
Kerisj probeerde het opnieuw. 'Paren?'
'O ja, natuurlijk, maar niet buiten de stam, behalve tijdens de Grote Bijeenkomst. Maar soms worden vrouwen door rovers ontvoerd.'
'Zoals mijn moeder,' prevelde Kerisj.
'Ja, maar alleen de Gesjaka's zouden haar aan slavenhandelaren hebben verkocht!'
'Zijn ze jullie vijanden?'
'Zij zijn de sterkste stam en hun kring valt over de onze heen.'
'Valt er overheen?'
'Ja.' Gwerath klonk wat ongeduldig om zijn onwetendheid. 'Wij delen maar twee weken grondgebied met elkaar, maar er zijn altijd gevechten. We zullen weer over elkaar heenvallen bij de volgende trek.'
'Waarom dan niet van grondgebied veranderd?'
Gwerath keek hem ontzet aan en verscheidene meisjes hielden op met naaien.
'Onze kring verlaten en naamloze zwervers worden! De Jager tekende de kringen met zijn speer zodat er ruimte voor alle stammen was. Hij zou ons neervellen als we onze kring verbraken!'

‘Maar moeten jullie altijd blijven trekken?’

‘In de zomer wel, want hoe moeten de kudden anders grazen en onze krijgers jagen? In de donkere maanden blijven we in één kamp.’

‘Dus jij zult je kring nooit verlaten.’

‘Alleen bij de Grote Bijeenkomst,’ zei Gwerath, ‘wanneer we naar de Heilige Bergen gaan, eens in de zeven jaar.’

Kerisj zou meer vragen hebben gesteld, maar Forollkin kwam de tent binnen met een gezicht als gebleekt en gekreukt linnen.

Gwerath sprong op. ‘Goedemorgen, bloedverwant.’

Forollkin kromp ineen door het vrolijke geluid van haar stem en haar verblindende zilveren haar.

‘Dank je,’ mompelde hij.

Kerisj glimlachte zoetsappig: ‘Gwerath gaat ons het hele kamp laten zien.’

Forollkin, die veel liever rustig in zijn tent had willen liggen, prevelde iets beleefds en trapte op Lilahnee’s staart. De moeraskat blies en krabde hem. Het gelach van Kerisj deed zijn pijnlijke hoofd zeer en Gwerath wilde hen met alle geweld naar buiten brengen in de zon.

‘Nichtje,’ zei Kerisj, opeens ernstig, ‘waar is Gidjabolgo, mijn bediende?’

‘O, ze maken een halsband voor hem. Dan kan iedereen zien dat hij een slaaf is en we kunnen hem loslaten zonder bang te zijn dat hij zal ontsnappen.’

‘Hebben jullie veel slaven?’ vroeg Forollkin kil.

‘Nee, de laatste keer dat we een kamp overvielen werden er heel weinig gevangenen gemaakt.’

‘En iedereen die jullie gevangen nemen maken jullie tot slaaf?’

‘Ja,’ zei Gwerath, ‘behalve de krijgers natuurlijk.’

‘En ik neem aan dat jullie de krijgers doden?’

‘Hoe zouden wij hen kunnen beledigen door slaven van hen te maken?’ Gwerath klonk alsof ze er niets van begreep. ‘Neven, heb ik jullie gekwetst? Vergeef me, ik ken jullie gebruiken niet. Zijn er geen slaven in jullie land?’

Forollkin verbrak de korte stilte. ‘Wij kopen slaven.’

‘Kopen! Dat zouden wij nooit doen,’ riep Gwerath uit. ‘Is jullie volk heel anders dan het onze?’

‘Misschien niet,’ mompelde Forollkin.

Ze liepen door het gedeelte van het kamp dat voor de krijgers was bestemd, die voor hun scharlaken tenten hun speren poetsten, benen ringen wierpen of elkaars haar vlochten.

‘En wat doen jullie krijgers als ze niet vechten of jagen?’

vroeg Kerisj.

'Elke man heeft zijn beurt om het kamp en de kudden te bewaken, wat moet hij anders doen?'

Ze lieten de scharlaken tenten achter zich en liepen door luidruchtige volle rijen groene tenten.

'De kinderen wonen hier,' zei Gwerath, 'en de vrouwen die geen tent van een man delen. Allemaal behalve ik, omdat ik de torga van de Godin ben.'

Kinderen liepen gillend weg van de moeraskat die gromde en met haar staart sloeg, genietend van de angst die ze inboezemde.

Jonge vrouwen keken onbewogen naar de vreemdelingen, terwijl de oude vrouwen zich over hun weefgetouwen bogen of over de kookvuren van gedroogde irollgamest.

Gwerath liep verder naar de zwarte tenten van de halvemannen, krijgers die invalide of oud waren en vandaar naar de bruine tenten van de handwerkslieden, de looiers, de ververs, de beensnijders – van alle mannen die geen wapens droegen en geen stem in de raden van de stam hadden.

Daar vonden ze Gidjabolgo die door twee slaven in bedwang werd gehouden terwijl hem een zware benen halsband werd omgedaan. De halsbandmaker groette Gwerath en Forollkin, maar Kerisj niet; tot nog toe had hij geen plaats in de stam.

Gidjabolgo werd losgelaten en naar hen toe geduwd. 'En wie van mijn meesters moet ik bedanken voor mijn mooie nieuwe sieraad?' vroeg de Forgiet.

'Kom mee,' zei Kerisj, zonder Gidjabolgo aan te kijken. 'Ze zullen je nu niet meer vastbinden.'

Gwerath liep met hen om de rand van het kamp, langs een riviertje waar vrouwen kleren wasten en babbelden en enige jonge mannen luidruchtig aan het zwemmen waren en elkaar met water gooiden.

Ze bleven staan naast een omheining waar drie irollga's afgericht werden tot rijdieren, maar de aanwezigheid van de moeraskat maakte de ruinen zenuwachtig en de verantwoordelijke krijger vroeg hen door te lopen.

'We zullen naar de rand van de kudde lopen om je irollga's uit te zoeken,' zei Gwerath. De wind had haar haren losgemaakt en haar wangen gekleurd en ze lachte tegen Forollkin.

'Het deel van de krijger, vier drachtige koeien en een ruin, maar misschien rij je toch liever op je paard?'

'En wat moet ik met die beesten beginnen?' mompelde Forollkin, terwijl de torga van de Godin met hen naar de open weiden liep.

Kinderen hoedden de grazende koeien, maar op elk heuveltje

stond een krijger in scharlaken mantel, zijn speer scherp tegen de horizon, een alarmhoorn over zijn schouders.

Gwerath holde met grote sprongen vooruit om met een van de schildwachten te praten.

'Zoals Tayeb zei wordt het kamp goed bewaakt,' mopperde Forollkin.

'Heb je gisteravond met hem gesproken?' vroeg Kerisj vlug.

'Jawel. Hij weigert ons te laten gaan. We zullen dag en nacht in het oog worden gehouden en achtervolgd en gevangen als we proberen te vluchten.'

Gidjabolgo lachte. 'Nou, daar zitten we dan en niet alle slaven dragen een halsband. Hetgeen niet wegneemt dat heer Forollkin zich hier in zijn element zou moeten voelen.'

Gwerath kwam terug voor een van de broers kon antwoorden. 'Ik heb je irollga's gevonden.'

De vier irollga's waren zwaar drachtig, maar ze kwamen log overeind toen ze de moeraskat roken. Gwerath kalmeerde hen en streelde hun fluwelen snuiten, onbevreesd voor hun korte kromme hoorns. Ze probeerde Forollkin hun namen te leren, maar hij protesteerde dat ze in zijn ogen allemaal op elkaar leken.

Vervolgens vertelde ze hem in welke kleuren hun hoorns nu geverfd moesten worden en welke sieraden hij hun moest geven.

'Sieraden?'

'En ze zullen weer door de torgoe van de Jager gezegend moeten worden, anders worden ze misschien ziek.'

'Ik dacht dat jij niets te maken wilde hebben met de Jager,' zei Forollkin.

Gwerath staarde hem aan. 'De Jager heeft ons de irollga's gegeven, hij maakte ze met zijn eigen bloed.'

'En heeft hij de Sjeyasa's ook gemaakt?' vroeg Forollkin, die het vermaak in zijn stem niet helemaal kon onderdrukken.

'Wij zijn de muziek die de noordenwinden ontlokten aan de harp van de Jager,' zei Gwerath zacht, 'wij zijn de Kinderen van de Wind.'

Een krijger in scharlakenrode mantel liep over het gras om de dichtstbijzijnde schildwacht af te lossen en Gwerath prevelde: 'Het wordt tijd dat ik windbloemen ga plukken om de tent van de Godin te versieren. Ik zal jullie de rest van het kamp later laten zien, misschien als jullie na het middagmaal bij me kunnen komen?'

Ze bracht hen terug naar het midden van het kamp voor ze zich verkleedde in haar torgagewaden en haastig op weg ging.

De drie reizigers bleven niet lang ongestoord in Kerisj' tent.

Forollkin was net begonnen de mogelijkheden voor hun vlucht te schetsen toen Tayeb binnenkwam.

'Gegroet, bloedverwanten. Geschenk-brenger, jij eet met de krijgers en rijdt dan met mij uit om op jacht te gaan. Er is een kleine kudde wilde irollga's dicht bij het kamp, we moeten de stier doden en de koeien meenemen. Talvek, leer alles wat je kunt van mijn dochter, zodat je gereed zult zijn voor de toetsing.'

De Galkiërs ontvingen hun bevelen onder boos stilzwijgen en Forollkin vertrok met Tayeb. De rit buiten het kamp zou hem tenminste helpen zich te oriënteren.

Een oude vrouw bracht om twaalf uur eten naar Kerisj' tent en hij deelde het met Gidjabolgo. Daarna vroeg de Forgiet toestemming om een snaar te controleren die naar hij dacht op de zildar van de prins moest worden vervangen. Kerisj liet Gidjabolgo gebogen over het instrument en Lilahnee slapend op de matras achter en ging op weg naar de tent van de Godin.

Enecko en een andere krijger die op zijn speer leunde, versperden hem de weg. Enecko glimlachte loom. 'Kom je buiten zonder dat je kat met haar klauwen een weg voor je baant? Je durft!'

Kerisj wierp hem een blik toe die een Galkiër zou hebben doen verstenen en probeerde om hem heen te lopen. Enecko greep de prins bij de schouders en de andere krijger pakte vanachter Kerisj' haar en rukte zijn hoofd achterover.

Enecko zette de punt van zijn speer op Kerisj' keel.

'En zonder je dappere broer, of zelfs zonder onze heetgebakerde torga om op je te passen...'

De speer schramde zijn huid en een paar bloeddruppels sijpelden langs Kerisj' hals. Hij stribbelde niet langer tegen.

'Laat me gaan. Enecko, je valt me alleen aan omdat je mijn broer niet meer aandurft.'

De Erandatsji duwde de speer harder tegen Kerisj' keel en glimlachte toen de prins ineenkromp.

'Wie weet. Wat denk je, mijn vriend, moeten we onze wapens verspillen aan iemand die niet eens wapens kan dragen?'

'Laat hem toch met rust,' zei de andere man. 'Een krijger doodt geen vrouwen of kinderen.'

'Of een halfbloed die bezoedeld is met vreemd bloed.'

Enecko trok de speer weg en zijn metgezel liet na een laatste ruk Kerisj' haar los.

'Loop maar door, ventje. Je kunt je grote broer vertellen wat je overkomen is als hij terugkomt.'

Hij duwde Kerisj op zijn knieën en ze slenterden weg.

Ten prooi aan zijn hulpeloze woede, met een hand op zijn

bloedende keel, merkte Kerisj niet dat Gidjabolgo bij de tentflap stond te kijken.

'Ze hebben gelijk, meester, u zou niet buiten moeten komen zonder iemand om u te beschermen; denk aan uw opdracht!'

'Ik kan best op mezelf passen,' snauwde Kerisj automatisch en kromp al ineen. Maar het verwachte sarcasme bleef uit.

Gidjabolgo frommelde in de vouwen van zijn vuile tuniek en haalde een kleine benen dolk te voorschijn.

'Ik twijfel er niet aan dat je jezelf kunt verdedigen, maar daarvoor kun je dit nodig hebben.' Hij reikte hem de dolk.

'Waar heb je dat ding vandaan?'

'Gestolen,' zei de Forgiet kalm.

Kerisj keek naar de slanke witte dolk. 'De wet van de Godgeborenen verbiedt...' begon hij.

'Deze mannen leven niet volgens de wet van de Godgeborenen. Wil je toelaten dat ze een prins van Galkis behandelen als een slaaf?'

'Nee, maar...'

'En moet je altijd afhankelijk zijn van de bescherming van je broer? Hoe zit het eigenlijk met die sleutels om je middel, wil je je die soms door dergelijke mannen laten afnemen en hulpeloos toezien?'

'Nee.'

Kerisj nam de dolk aan en verstopte hem in de borst van zijn tuniek. 'Dank je, Gidjabolgo.'

8
Het Boek der Keizers: *Hoop*

Maar hij sprak ernstig tot hen, zeggende: 'Ik smeek jullie, gebruik het verstand dat je gegeven is. Kijk elke vreemdeling diep in de ogen tot je je eigen nood daar weerspiegeld ziet.'
'Welke nood?' vroegen ze hem.
'Dat zullen jullie weten,' zei hij, 'wanneer jullie die in een ander zien.'

Kerisj wist dat de tenten van de Jager en de Godin net achter de noordgrens van het kamp stonden. Te trots om de juiste weg te vragen was zijn wandeling langer dan nodig was geweest en zijn rug prikte van de blikken van iedereen die hij passeerde. Toen hij langs de buitenste kring van tenten liep, hoorde hij een geluid dat de gewone geluiden van het kamp geleidelijk overheerste; een geluid tussen een gil en een zucht, soms woest, soms treurig, soms vals, soms welluidend, maar altijd verontrustend.

Kerisj kon niet begrijpen waarom geen van de handwerkslieden die voor hun bruine tenten aan het werk waren het scheen te horen. Toen kwam hij bij de strook gras die de grens van het kamp aangaf en begreep het. Een eindje voor hem stond de zwartrode tent van de Zielenjager en aan elk van zijn hoekpalen was een benen harp bevestigd die door de aanhoudende wind van Erandatsjoe werd bespeeld.

'De Kinderen van de Wind,' prevelde Kerisj en vroeg zich af hoe zijn moeder de stilte van de Gouden Stad ooit had kunnen verdragen.

Rechts van hem stond de blauwe tent van de Berggodin, versierd met wit vilten sterren en windbloemen. Kerisj dook onder de tentflap door en liet de klaaglijke muziek van de windharpen achter zich.

Toen zijn ogen aan het halfduister wenden zag hij de torga die bezig was de hanglampen met olie te vullen. Kerisj' voeten zonken weg in de zachte bontvellen die de vloer bedekten toen hij verderliep om het tapijt te bekijken dat een wand van de tent bedekte.

Het was geweven van het kleurig geverfde haar van jonge irollga's en erop stond een vrouw met licht haar, even groot als de bergen achter haar. Ze vertoonde weinig gelijkenis met Sendaaka.

Gwerath kwam naar haar neef toe met in haar hand een kaars die haar haren de kleur van gesmolten zilver gaf.

'Ik hoorde je niet binnenkomen,' fluisterde ze. 'Onze afbeelding van de Godin is heel oud en ik weet zeker dat geen andere stam zoiets moois had kunnen maken.'

Het wandtapijt vertoonde hier en daar vlekken, maar het blauw-groen van het gewaad van de Godin en de ster in haar opgeheven hand waren nog helder van kleur.

'Aanbidden alle stammen van Erandatsjoe de Godin en de Jager?' vroeg Kerisj.

'Sommigen vereren nu alleen de Jager en op de oude manier, nog uit de Donkere Tijd voor de Godin afdaalde om ons wijsheid te brengen.'

'En waarom keren mensen terug tot de oude manier?'

Gwerath begon de lampen weer aan te steken. 'Om allerlei redenen; de winters worden strenger, de handelaren uit het westen komen slechts zelden, maar de slavenhandelaren uit het oosten komen vaker. Mijn vader zegt dat het geen van de stammen zo goed gaat als vroeger en er zijn mannen die de nieuwe gewoonten er de schuld van geven.'

'Mannen zoals Enecko?'

Gwerath knikte. 'Hij is een volgeling van de Zielenjager en wil dolgraag terug naar de Donkere Tijd toen de Jager zijn prooi nooit spaarde. Ik ben niet sterk genoeg om hen de Godin te doen vrezen. Ik droom zo zelden en ik kan de dromen van anderen niet ontrafelen. Ik ken de toverspreuken, maar er is geen geneeskracht in mijn handen. Dat is de reden dat jouw komst zo belangrijk is voor mijn vader. Ik heb hem teleurgesteld, maar jij zult de stam de macht van de Godin tonen en hen doen geloven.'

'Gwerath...' Kerisj keek hulpeloos naar het wandtapijt; op het bleke geweven gezicht van de Godin meende hij Sendaaka's bevroren tranen te zien. 'Gwerath, ik heb geen macht gekregen van jouw Berggodin. Ik kan je niet helpen.'

De torga van de Godin blies haar kaars uit en knielde om de windbloemen beter te schikken die aan de voet van het tapijt lagen.

'Neef, ik weet dat je de macht hebt, zelfs ik kan het voelen, en ze heeft me een ware droom over jou gezonden.'

Kerisj draaide zich om om naar een van de andere tapijten te kijken. Hij deed zijn best luchtig te spreken. 'Woont de Godin op jullie heilige berg of meer naar het noorden?'

'Ze is in alle hoge oorden,' zei de torga. 'Ze houdt van de bergen omdat ze dichter bij de sterren zijn waar ze vandaan is gekomen.'

Kerisj keek naar zijn nichtje. Haar handen waren vol windbloemen. 'Waarom daalde ze van de sterren omlaag?'

'Om haar dochter te zoeken, haar enige dochter die verdwenen was,' antwoordde Gwerath. 'Ze heeft haar niet gevonden. Ze treurt altijd en daarom begrijpt ze onze smarten.'

'Hoe weet je dat?' vroeg Kerisj. 'Hoe kun je dat weten?'

'Dat is de overlevering van de stam. De gezangen zijn van torga op torga overgegaan, sinds het einde van de Donkere Tijd. In de sneeuwmaanden, in ons winterkamp, zing ik ze voor de mensen. Dat is een fijne tijd,' zei Gwerath weemoedig. 'In de winter is de Zielenjager niet zo sterk... maar ik beloofde je dat ik je in de rest van het kamp zou rondleiden. Waar is je broer?'

'Tayeb beval hem mee op de jacht te gaan.'

Gwerath stond op. 'Mijn vader is blij dat hij zo'n dappere en behendige krijger heeft om voor ons te vechten. Zijn er in je vaders land veel zulke lange mannen?'

'O, Forollkin is heel bijzonder,' mompelde Kerisj.

'Dat dacht ik wel,' verklaarde Gwerath. 'Kom, dan laat ik je de Sjeyasa's zien.'

Laat in de middag keerden ze terug naar de tent van de prins en als tegenprestatie voor zijn rondleiding liet Kerisj Gwerath zijn schatten zien. Eerst was ze ontzet toen ze de zildar zag die op een harp leek waarop alleen de vingers van de wind mochten spelen, maar ze genoot van zijn zelokajuwelen. De grote halsketting omhoog houdend tekende Gwerath de gouden omtrek van de vleugels na.

'Zijn er werkelijk zulke vogels in je land?'

'Eens wel. Ze waren geschapen door Zeldin, de god van mijn vaders volk, voor Imarko, zijn lief. Ze vlogen tussen hen heen en weer met boodschappen, maar niemand heeft eeuwen lang ooit nog een levende zeloka gezien.'

Gwerath vroeg hem naar de stenen en metalen en Kerisj vertelde haar wat over de landen waar ze vandaan kwamen.

'O neef, jij hebt zoveel van de grote wereld gezien en ik zo weinig,' zei Gwerath. 'Ik weet dat het verkeerd is mijn kring te willen verlaten, maar ik wou maar dat ik eens een stad kon zien of een woud of de zee zelf, alles wat maar nieuw en vreemd is.'

'Misschien gebeurt het nog, als je het maar innig genoeg wenst.'

Gwerath verbrak de korte stilte door de halsketting neer te leggen en bedeesd te vragen: 'Wat is dit?'

'Dit? Dat is het Boek der Keizers, waarin alle overlevering en wijsheid en geschiedenis van mijn volk opgeschreven is.'

'Opgeschreven?'
Ze was verbijsterd en Kerisj besefte dat de Erandatsji's geen schrift moesten bezitten. 'Ik zal het je laten zien,' zei hij en opende het boek.
'O, maar dat is prachtig,' riep Gwerath uit. 'En al die tekens betekenen iets?'
Kerisj legde haar zo eenvoudig als hij kon uit wat schrijven was en Gwerath begreep het heel vlug. Ze wees naar een regel op de perkamenten bladzijde. 'Wat staat hier?'
Geterisj-na ti rarak-un len metiya-na alkit-en. Dat is Hooggalkisch, de oude taal van mijn volk. In het Zindars zou je zeggen:"Op de rots van onze liefde zullen wij een natie bouwen".'
'En kun jij zulke tekens maken?'
'Natuurlijk.'
Gwerath scheen zich over haar vraag te schamen en Kerisj zei haastig: 'Zal ik je leren lezen en schrijven? Je zult het vast heel gemakkelijk leren.'
'Zou je dat willen? O neef, hoe kan ik je bedanken?'
Kerisj' hand gleed naar de dolk in zijn tuniek. 'Kan een torgoe ook een krijger zijn?'
'O jawel, als hij een krijger in een gevecht kan verslaan. Maar waarom vraag je dat, jij draagt immers geen wapens.'
Kerisj haalde de benen dolk te voorschijn. 'Dat doe ik wel. Gwerath, kun jij het mes dat je draagt gebruiken?'
Nu was het Gweraths beurt om verontwaardigd te zijn. 'Allicht, beter dan de meeste mannen.'
'Wil je mij dan leren vechten zoals jullie krijgers vechten?'
'Als je wilt,' zei Gwerath weifelend.
'En vertel het niemand.'
'Ik zweer het bij de Godin; maar waarom leert je broer het je niet? Hij is een krijger.'
Kerisj sloeg het boek op zijn schoot dicht. 'Mijn broer mag het niet weten.'
'Maar hij is toch zeker ouder dan jij, je bent verplicht hem te gehoorzamen.'
'Ik ben niets verplicht,' zei Kerisj nors, 'wij hebben die gewoonte niet. Gwerath, alsjeblieft...'
Zijn glimlach deed haar twijfels smelten. 'Zoals je wilt, neef. Wat doen we eerst?'
'Schrijven,' zei Kerisj. 'Ik zal je de letters van het Galkische schrift tonen en zien hoeveel we ervan kunnen gebruiken om de klanken weer te geven die jullie gebruiken.'
Kerisj had in zijn bagage twee ganzeveren en een blokje inkt meegenomen en een paar vellen perkament in het Boek der Keizers gestopt. Een ervan was half volgeschreven met een verta-

ling van een gedicht uit Ellerinonn. Gwerath slaakte een verrukte kreet toen ze de sierlijke calligrafie zag en de rijke randen van in elkaar gestengelde bloemen en mystieke dieren.

'O wat mooi, zijn er veel mannen in jouw land die zulke tekeningen kunnen maken?'

'Ja, maar deze heb ik zelf gemaakt.'

'Jij, neef? Wat benijd ik je.'

Tot zijn verbazing zag Kerisj tranen in Gweraths ogen.

'Niet huilen, nichtje, alsjeblieft, niet om zomaar een tekening.'

'Je begrijpt het niet,' zei Gwerath. 'Ik wil zo graag iets moois kunnen maken, maar mijn handen zijn onbeholpen en mijn tong ook. Ik zie prachtige dingen voor me, maar ik kan ze aan niemand anders laten zien en dat doet zo'n pijn!'

Voor Kerisj was het net alsof ze plotseling op een deur had geklopt die hij altijd op slot had gehouden en hij was gedwongen haar binnen te laten.

'Niet huilen.' Hij nam haar handen in de zijne. 'Je zult wel een manier vinden om de beelden in je geest aan anderen te geven. Ik zal je helpen. Luister, ik zal je leren schrijven en je muziek en...'

Forollkin kwam de tent binnen. Zijn tuniek zat vol bloedspatten en Gwerath sprong op om hem te begroeten.

'Ben je gewond, neef?'

'Nee, dat is bloed van een irollga, niet van mij.' Hij kon de voldoening in zijn stem niet maskeren. 'Ik heb de wilde stier gedood.'

Wat vreemd, dacht Kerisj, Forollkin moet in gevaar hebben verkeerd en ik heb er niets van gevoeld.

Gwerath vroeg al naar de jacht en het aantal wilde irollga's dat ze gevangen hadden.

'Vijftien of twintig, geloof ik,' zei Forollkin en glimlachte tegen haar, 'maar iemand van ons gezelschap werd gewond, een man die Atheg heet.'

'Dan moet ik naar hem toe,' zei Gwerath. Ze keek over haar schouder naar Kerisj die nog steeds het vel perkament en een half geslepen ganzepen vasthield. 'Ik kom later terug voor mijn les.'

'Wat is dat voor les?' vroeg Forollkin, toen Gwerath was vertrokken.

'Ik leer haar schrijven,' zei Kerisj, terwijl hij het perkament oprolde.

Forollkin lachte. 'Och, waarom niet? De Sjeyasa's leren mij ook het een en ander. Ze smeren hun jachtsperen in met vergif. Het doodt niet, maar het maakt de dieren slaperig zodat ze ge-

makkelijk te vangen zijn.'
'Maar jij hebt de stier gedood.'
'Iemand moest het doen.' Forollkin wreef over de vlekken op zijn tuniek. 'Anders hadden we niet bij de koeien kunnen komen. Het had één voordeel. Ze lieten me zien waar precies onze paarden en de pakpony's staan. Misschien is het niet onmogelijk om hier weg te komen. Ik kan niet blijven, ik heb beloofd Tayeb nog een les in boogschieten te geven. Dat zal er toe bijdragen zijn vertrouwen te winnen. Wil je komen kijken?'
Kerisj schudde zijn hoofd. Toen zijn broer weg was, ging hij op zoek naar Gidjabolgo die een stil beschaduwd hoekje tussen een paar tenten had gevonden, en bleef bij hem zitten tot Gwerath terugkeerde.
Forollkin demonstreerde bijna de hele lange lichte avond het schieten met pijl en boog voor een groep uitgelezen mannen. Hij schoot beter dan ooit op allerlei verschillende doelen en besprak daarna hoe ze het best twintig stel pijlen en bogen konden maken van been, darmen, verhard gras en de kostbare houtvoorraad van de Sjeyasa's. Hij kon nauwelijks vermoeden dat de gedachten van zijn broer ook op dodelijke instrumenten waren gericht.
In haar ruime tent leerde Gwerath haar neef het vechten met een dolk, terwijl Gidjabolgo in de opening van de tent zat. Was Kerisj verbaasd geweest over het snelle verstand van Gwerath, zij was verbaasd over zijn behendigheid en de snelheid van zijn reacties.
De volgende morgen gingen Kerisj en Forollkin met Gwerath naar de omheining om te zien hoe het stamhoofd van de Sjeyasa's de stier van de stam een bloemenkrans omhing. Gwerath had de krans gemaakt en Tayeb nam hem uit haar handen over. Hij liep kalm de omheining binnen en de grote stier kwam naar hem toe. Tayeb trok de oude bloemenkrans over de lange hoorns en sprak vervolgens enkele woorden in de taal van de Erandatsji's en Igesjoe boog zijn kop.
'Ik zou zweren dat hij niet zo tam was toen *ik* daar met hem was,' bromde Forollkin.
'Hij is niet tam,' zei Gwerath somber, 'maar hij kent het stamhoofd van de Sjeyasa's. Hij weet ook wanneer een man het leiderschap kwijtraakt.'
Tayeb trok de nieuwe bloemenkrans over de zware kop en gebruikte hem daarna als halster om de stier van de kudde naar buiten te brengen. Het was het sein om het kamp op te breken.
Elke tent werd opgevouwen en op de brede rug van een irollgakoe gebonden. De geduldige dieren werden daarna beladen met alle bezittingen van hun eigenaren: kleden, bontvellen,

lampen, kommen, alles wat niet kon worden gedragen of aan het zadel van een rijdier kon worden gebonden. De inrichting van de tenten van de Godin en de Jager, van het stamhoofd en de torgi werden vervoerd op twee oeroude logge karren.

De stam trok drie dagen lang in noordelijke richting. Kinderen reden achter hun moeders of hielpen lawaaiig mee om de grote kudde voort te drijven. Aangezien ze op het grondgebied van de Gesjaka's kwamen reed een grote troep krijgers een eind vooruit en verkenners reden voortdurend om de voorttrekkende massa mensen en dieren heen.

Forollkins hoop dat ze tijdens de verwarring zouden kunnen ontsnappen werd gauw de bodem ingeslagen. De Galkiërs werden voortdurend door meer dan een half dozijn krijgers in de gaten gehouden en vastberaden aangespoord in het midden van de stam te rijden.

Forollkin behandelde zijn bewakers alsof ze toevallige kennissen waren, hij praatte vrolijk en overreedde hen over voorbije jachtpartijen en gevechten te spreken. Gwerath, schrijlings als een jongen rijdend, was meestal vlak achter hem en Gidjabolgo, die zijn best deed alle drie de pakponies aan de teugels te houden, luisterde met echte of geveinsde belangstelling.

Kerisj echter ging op zoek naar Eamey.

Hij vond haar vlak bij de voortsjokkende karren, gezeten op een stevige irollga. Zijn tuig was volgehangen met benen ratels en bloemen van veelkleurig vilt. Het dier sprong schichtig opzij toen het de moeraskat rook, maar Eamey bleef in het zadel en kalmeerde de irollga door zijn oren te krabben en lieve woordjes te fluisteren.

Kerisj hield zijn paard in om gelijke tred te houden met Eamey's langzame rijdier. Ze ging rechtop zitten, lachte en zei: 'Wat is je vroegste herinnering aan haar?'

Eerst antwoordde Kerisj aarzelend. Hij wist niet precies hoeveel hij moest vertellen over zijn koninklijke geboorte en het leven in het Binnenpaleis. Maar deed het er werkelijk toe?

Wat is de keizer der Godgeborenen voor de Sjeyasa's? dacht Kerisj. Niet meer dan een naam. Ik ben Taana's zoon, Tayebs neef en ik ben geen krijger, dat is het enige dat hier telt. Niettemin was er weinig dat hij Eamey kon vertellen. Zijn herinneringen werden te veel verborgen door het buitensporige verdriet van zijn vader.

'Dus je vader hield van haar het meest, van alle vrouwen van zijn tent?'

'Hij hield alleen van haar,' antwoordde Kerisj, 'dat is zijn aard.'

'Die van Taana ook,' zei Eamey, 'ze verdiende zo innig bemind te worden. Ik kan haar niet méér prijzen, maar misschien is het gelukkig dat ze jong stierf, voordat de liefde verflauwde.'

'Mijn vader zou altijd van haar zijn blijven houden,' hield Kerisj vol.

'Maar niet zoveel als nu ze dood is. Je schudt je hoofd, bloedverwant. Och, je moeder zei altijd dat ik de wereld te somber inzag. We leken niet op elkaar, maar dat was de kern van onze vriendschap.'

Een tijdlang sprak ze over haar kinderjaren met Taana tot Kerisj vroeg: 'En mijn oom, hield hij ook van haar?'

'Heel veel, hoewel ze altijd ruzie hadden, want ze hadden allebei een eigen wil. Ze hadden grote plannen voor de Sjeyasa's. Taana, dat weet ik nog, wilde naar de bergen in het noorden om zelf op zoek te gaan naar de Godin. Tayeb vond dat een zondig verlangen. Hij was heel vroom toen hij jong was en niets vervulde hem met meer ontzetting dan de gedachte de kring te verbreken.'

'Denkt hij ooit aan iets anders behalve aan de kring van de stammen?' vroeg Kerisj, terwijl zijn vingers de manen van zijn paard vlochten en weer losmaakten. 'Hij heeft me nooit naar Galkis gevraagd, of naar onze tocht. Ik had net zo goed niet kunnen bestaan voor ik Erandatsjoe binnenreed!'

'Het is niet alleen Tayeb die er zo over denkt.'

Eamey keek om zich heen naar de langzaam voorttrekkende stam, de krijgers in de voorhoede, de vrouwen en de oude mannen met beide benen aan één kant van hun rijdieren, kinderen en slaven die naast de overbeladen pakdieren voortholden en aan weerskanten de grote kudde.

'Bloedverwant, jij vindt onze kring bekrompen, bijna een gevangenis. Voor ons is hij dat niet. Hij is een wereld. Elke man heeft een kring van familieleden die weer nauw verbonden is met de kringen van zijn stam. Het grondgebied van elke stam komt samen met dat van drie andere stammen. Zij grenzen, ieder op zijn beurt, weer aan drie andere. Er is plaats voor allemaal in de kringen die door de speer van de Jager zijn getrokken en alle Kinderen van de Wind zijn met elkaar verbonden. Iedereen weet dat hij deel uitmaakt van de grote kring en daar ligt troost in, Kerisj-lo-Taan, onder zo'n lege hemel.'

De prins keek even naar de wolkeloze hemel en de lege horizon.

'En toen mijn moeder weggerukt werd uit haar kring – heeft Tayeb toen geprobeerd haar terug te krijgen?'

'Hij was toen net stamhoofd geworden en de Gesjaka's vroegen een losgeld in irollga's dat de stam tot de bedelstaf zou hebben gebracht. Hij had nog maar twee dagen voor onze kringen

niet meer in elkaar grepen,' zei Eamey. 'Hij besloot dat een aanval te gevaarlijk was. Hij zou beslist veel mannen verloren hebben en haar misschien toch niet hebben gered. Ik heb hem een hele poos gehaat en ik weigerde zijn tent te delen, zodat hij gedwongen was een andere vrouw te kiezen. Langzamerhand begon ik te begrijpen hoeveel verdriet hij door het verlies van Taana had moeten verwerken en ik wist dat hij gelijk had gehad toen hij alleen aan de Sjeyasa's dacht.'

'En aan zijn eigen macht,' mompelde Kerisj.

'Hij is een goed stamhoofd geweest, bloedverwant. Daar denk ik aan wanneer hij me verdriet doet. Denk maar niet dat hij niet van je houdt omdat hij je gebruikt. Hij handelt voor het bestwil van de stam. Dat begrijp ik. De moeder van Gwerath begreep het niet.'

'Is ze dood?'

'Ja, ze is negen jaar geleden gestorven, in de tent van een andere man. Tayeb heeft meer dan zijn last aan verdriet gedragen.'

'Maar hij heeft jou om dat verdriet te delen, en Gwerath.'

'Hij heeft mij,' beaamde Eamey, 'maar Gwerath niet. Vertel me, bloedverwant, liet Gwerath, toen je de tent van de Godin bezocht, je de beide wandtapijten zien die daar hangen?'

'Ze prees er een,' zei Kerisj, wat verbaasd, 'waarop de Godin en de bergen te zien waren.'

Eamey knikte. 'Op het andere staan de Godin en de Jager. Ken je het verhaal van hun ontmoeting? Hij zag haar toen ze voor de eerste keer afdaalde naar de vlakte en hij maakte jacht op haar. Ze vluchtte lichtvoetig weg en de ijssterren, die uit haar haar vielen, kwamen op als windbloemen. Ondanks al zijn lange passen kon de Zielenjager haar niet inhalen tot ze langzamer ging lopen op het moment dat de Heilige Berg in zicht kwam. De Jager greep haar bij haar zilveren haar en hief zijn speer om toe te stoten. Ze verzette zich niet, maar keerde hem haar gezicht toe. Haar ogen doorboorden hem dieper dan welke speer ook en in onderwerping lag haar overwinning. Ik heb Gwerath dit verhaal menigmaal horen zingen, maar ze begrijpt het niet.'

Na een trek van drie dagen sloegen de Sjeyasa's hun kamp weer op. De reizigers waren bijna de enigen zonder een speciale taak en het kamp scheen in een ongelooflijk tempo rondom hen te verrijzen.

Die avond kwam Gwerath bij hen zitten in Kerisj' tent en zong en verklaarde de gezangen van de Godin voor hen. Haar stem was droog en iel en de gezangen leken de Galkiërs eentonig en onmuzikaal, maar ze luisterden gespannen naar haar vertalingen.

De volgende dag was het Feest van de Voorjaarskalveren en van Kerisj' toetsing.

'Je moet de bergen van de Godin beklimmen,' was alles wat Gwerath erover kwijt wilde.

Kerisj' slaap werd geteisterd door nachtmerries, maar hij werd wakker zonder zich te herinneren dat Gidjabolgo ze verjaagd had.

Het was nog heel vroeg toen Tayeb de tent binnenkwam en Gidjabolgo naar buiten stuurde. De Forgiet schuifelde de kilte van de grijze ochtend in, maar luisterde aan de tentflap.

Tayeb keek toe terwijl zijn neef de gewaden van de torgoe aantrok. In zijn handen hield het stamhoofd een drinkhoorn en hij prevelde er spreuken over in de taal van de Sjeyasa's. Bij de matras kromde Lilahnee haar rug en gromde zacht. Kerisj bukte zich om haar te strelen. Toen hij zich oprichtte, gaf Tayeb hem de hoorn.

'Drink, zuster-zoon, dit zal je helpen tijdens de toetsing.'

Kerisj bood hem het hoofd. 'Niet tenzij je me je woord geeft dat je ons zult toestaan de stam te verlaten. Oom, ik heb geprobeerd je te vertellen dat wij niet bij jullie kunnen blijven. Ik heb een opdracht van het grootste belang voor mijn volk...'

'Wij zijn je volk. Jij bent het enige kind van mijn zuster.'

'Ik ben de zoon van mijn vader,' zei Kerisj. 'Mijn plicht is jegens hem.'

'Dat is niet zo,' hield Tayeb vol, 'het is de oom die voor het kind zorgt, niet zij die zijn moeders tent delen.'

'Niet in mijn land...'

'Maar nu ben je in *mijn* land en ik eis gehoorzaamheid van je als je je plicht jegens mij niet erkennen wilt. Je werd hierheen gezonden door de Berggodin, ontken je dat soms?' vroeg Tayeb. 'Zij heeft mijn lange klaagzang verhoord. Ze weet dat ik geen erfgenamen heb, niemand om mij te helpen tegen de terugkerende duisternis te vechten.' Tayeb greep Kerisj' schouder. 'Kun jij het volk van je vader even zeker of evenveel helpen als je het mijne kunt helpen, jij en je broer? Ik zeg weer dat de Godin je heeft gezonden. Ze heeft me Taana's zoon gezonden, met haar glimlach, haar gewoonte het haar achterover te werpen... Drink, Talvek!'

Van zijn stuk gebracht bracht Kerisj de hoorn aan zijn lippen. Er zat een drank in die er uitzag als melk, maar rook als bloed. Tayeb knielde en streelde Lilahnee's groene flanken.

'Zuster-zoon, ik kan je niet dwingen te drinken, maar ik smeek je mij niet bij de stam te schande te maken door de toetsing te weigeren.'

Kerisj ledigde de hoorn, hoewel hij van de inhoud bijna moest kokhalzen.

Tayeb glimlachte tegen hem. 'Kom, eerst moeten we de tent van de Jager bezoeken. Daar zal je broer zijn, en Gwerath. Dit is een blijde dag voor onze kring en ik weet dat je niet tekort zult schieten.'

Kerisj wenste dat zijn oom niet zo overtuigd sprak. Bijna instinctief ging zijn hand naar het Juweel van Zeldin, onder zijn gewaad. Toen hij het aanraakte, besefte hij dat de drank in de hoorn hem deed denken aan irandaan, het sap van de sterrebloemen, te sterk voor gewone mensen en zelfs gevaarlijk voor de Godgeborenen.

'Kom, zuster-zoon.'

Nog altijd met een glimlach verliet Tayeb met zijn neef de tent en liep het kamp door. Gidjabolgo volgde, ongevraagd en ongezien. De hele stam scheen bijeen te zijn bij de zwart-rode tent van de Jager en het gebabbel overstemde de muziek van de windharpen.

Forollkin genoot de eer een plaats tussen de krijgers te krijgen in de tent. Van zijn plaats kon hij de torgoe van de Jager goed zien. Hij droeg een irollgamasker met scharlaken hoorns. Naast hem stond Gwerath, op wier zilveren haar een krans van windbloemen rustte.

Achter hen, vaag te zien in het flakkerende licht, hing een wandtapijt. Het toonde een lange man, naakt op zijn scharlaken mantel na en gehoornd als een irollga. In elke hand hield hij een bebloede speer.

De Zielenjager, dacht Forollkin, en een genadeloze jager, naar de uitdrukking op zijn gezicht te oordelen.

Toen werd er gezongen, op trommels geslagen en op benen fluiten gespeeld. Forollkin betrapte zich erop dat hij het ritme meetrommelde en hij was zo verdiept in de muziek dat hij nauwelijks merkte dat Kerisj en Tayeb binnenkwamen en hun plaatsen naast Gwerath innamen.

Toen het gezang zijn hoogtepunt bereikte hoorde Forollkin de menigte buiten schreeuwen en jammeren alsof ze hun geliefde doden betreurden of degenen die weldra zouden sterven.

Drie krijgers kwamen de tent binnen. De eerste droeg een irollgakalf dat nog maar een paar uren oud was. Enecko en een tweede man stonden met bronzen bekkens achter de eerste krijger. De torgoe van de Jager kwam naar voren, een groteske schaduw werpend. De eerste krijger hield het kalf in bedwang, de twee andere knielden naast hem neer. De torgoe draaide zich om naar het wandtapijt en zong, met zijn schorre stem die versterkt werd door een of ander hulpmiddel in het masker, de dankbaarheid van de Sjeyasa's voor het onschatbare geschenk van de irollga's.

De krijgers in de tent vielen in en Enecko's stem steeg boven hun gezang uit, in vervoering gebracht door de onstuimige oude liederen. De torgoe van de Jager hief de van weerhaken voorziene speer in zijn linkerhand en dreef hem in de keel van het kalf. Hij trok het wapen terug met een brok vlees eraan en het bloed gutste in de bronzen bekkens terwijl hij het spartelende kalf telkens weer stak. Zijn kleine lichaam was één rode massa wonden. Toen stak de torgoe zijn bloederige speer in de grond waar hij stond te trillen voor de afbeelding van de Zielenjager.

Hij hief de andere speer in zijn rechterhand en Tayeb knielde voor hem neer. De torgoe krabde met de punt van de speer de hand van het stamhoofd en een paar bloeddruppels vielen in een van de bekkens. Hij doopte een al bloedrood gekleurde hand in het bekken en tekende een kring op het voorhoofd van het stamhoofd.

Vervolgens kwam Gwerath naar voren en ze gaf geen kik toen de speer in haar hand sneed. Kerisj evenmin. Hij was zich wonderlijk afstandelijk gaan voelen en protesteerde niet toen de bloedige kring op zijn voorhoofd werd gesmeerd.

Nog steeds zingend gaven alle krijgers in de tent hun bloed en ontvingen blij het teken van de Jager. Toen werden de bekkens naar buiten gedragen en de mensen verdrongen zich enthousiast om bij de speer van de torgoe te komen.

Kerisj stond een poos die hem vele uren leek, te wachten terwijl kinderen krijsten van opwinding; lachende moeders hieven hun baby's op naar de torgoe en zelfs slaven vroegen luidkeels om gezalfd te worden. Toen het bekken bijna leeg was werd de rest van het bloed in het wilde weg op tenten en kleren en gras geworpen, met lofkreten op de Jager.

Enecko knielde om de laatste rest op te drinken, met een extatisch gezicht.

Toen werd Kerisj naar de tent van de Godin gebracht. De vloer was dik bestrooid met windbloemen, maar Kerisj vertrapte ze onverschillig. Het scheen hem plotseling toe of alles wat er gebeurde de een of andere enorme en bespottelijke truc was om de waarheid te verbergen.

Iemand bond Kerisj' handen op zijn rug vast met kleurige touwen. Hij deed een stap omdat hij wist dat het moest, maar het was alsof hij door water liep, hij kon de grond onder zijn voeten niet voelen. Hij worstelde met een onzichtbare druk, omringd door schimmige gedachten: Gwerath, Tayeb, Gidjabolgo; geen van hen leek echt, zelfs de man niet die zijn naam riep.

'Kerisj!'

Wiens naam? Niet meer dan ook een schim. Plotseling angstig probeerde Kerisj naar de man te lopen die sprak, maar andere schimmen wierpen zich tussen hen.

Kerisj wist niet dat hij viel, maar Tayeb ving hem op en legde hem op een stapel bontvellen onder de afbeelding van de Godin.

Nu was de tent vol schimmen die fluisterden en staarden. Met grote inspanning bewoog Kerisj zijn hoofd. De gekroonde vrouw die op hem neerkeek leek werkelijker dan wat ook in zijn opeens gekrompen wereld. Zo dadelijk zou haar naam hem wel te binnen schieten.

'Sendaaka!' Hij probeerde te spreken. 'Sendaaka, help mij.'

De ster in de hand van de Godin lichtte trillend op. Ze heeft haar lamp aangestoken om mij de weg naar haar huis te wijzen, dacht Kerisj, maar het is zo hoog, zo ver!

De bergen rezen hoog boven hem op en hij spande zich in om ze te beklimmen, spande zich in om het licht te bereiken. Hoger en hoger, wegklimmend van contact en geluid; hij klom buiten zichzelf, omhoog naar de lichtende leegte, maar een stem riep hem en dwong hem achterom te kijken.

Heel ver onder zich zag Kerisj de vlakten van Erandatsjoe, oneindig ver, pijnlijk nabij. Hij zag het geheel en tegelijk ook elk fragment van het geheel. Hij keek van de bergen naar de oceaan en hij zag elke kring, elke stam, elke man.

Gekweld door de tegenstelling worstelde Kerisj om zover te komen dat hij niets meer zag, maar de stem dwong hem verder naar de uiterste grens. Welke grens? Hij kon het zich niet herinneren, zelfs het gevoel van doodsangst niet herkennen. Hij hing in de leegte terwijl hij 'nee' schreeuwde, maar zijn verzet was nutteloos.

Kerisj liet de berg los en viel in het donker.

9
Het Boek der Keizers: *Kronieken*

Maar toen ze hem vroegen van Zeldin te zingen zei Tor-Koldin: 'Ik kan het niet, want ik heb mijn eenvoud verloren en mijn gecompliceerdheid is hulpeloos tegenover hem. Wanneer het leven mij nieuwe oren en de dood mij een nieuwe tong heeft gegeven, dan zal ik van Zeldin zingen.'

Toen Kerisj ontwaakte, herinnerde hij zich helemaal niets na het afslachten van het kalf. Forollkin boog zich angstig over hem heen en hield een kom aan zijn lippen. De prins stribbelde zwakjes tegen.

'Kerisj, het is alleen een drank om je kracht te geven.'

'Nee!'

Het hartverscheurende gefluister van zijn broer maakte dat Forollkin de kom neerzette en Kerisj in zijn armen nam tot hij ophield met beven.

'Een goede klap zou hem misschien weer tot zijn positieven brengen.' Het was Gidjabolgo's stem en een gezonde woede welde in Kerisj op. Hij draaide zijn hoofd om naar de Forgiet te kijken en vond het afzichtelijke gelaat wonderlijk opbeurend.

'Forollkin, ik ben zo moe.'

'Gwerath zei dat je rust nodig zou hebben.'

Hij stopte Kerisj zorgvuldig in met de bontdeken. 'Als ze me gewaarschuwd had, zou ik nooit hebben geduld dat...'

Forollkin zag dat zijn broer al weer sliep en zweeg boos.

Toen Kerisj weer wakker werd, was Gwerath in de tent en sprenkelde een geparfumeerd poeder in de lampen. Een terc geur verspreidde zich.

'Haal diep adem, neef,' zei ze, 'je zult je gauw beter voelen. De eerste keer is de ergste.'

'Je hulp wordt zeer op prijs gesteld. Ga nu maar weg,' snauwde Forollkin.

'Vergeef me. Ik wist niet dat je boos zou zijn.'

'Dat wist je niet,' herhaalde Forollkin ongelovig. 'Je hebt hem bijna vermoord!'

'Het is de Godin...' begon Gwerath.

'Jij bent het. Jij en je vader en je dierbare stam. Laat ons nu alsjeblieft alleen!'

Gwerath vluchtte de tent uit.

'De tong is machtiger dan de speer,' prevelde Gidjabolgo. 'Ze zal bloedige tranen huilen.'
Kerisj probeerde te gaan zitten, maar Forollkin duwde hem weer in de kussens.
'Forollkin, wat is er gebeurd? Ik dronk uit de hoorn die Tayeb me gaf en begon me zo vreemd te voelen. Ik herinner me het kalf en het bloed...'
'Je stond bij het wandtapijt met een gezicht of je al drie dagen dood was,' antwoordde Forollkin. 'Toen ik probeerde tegen je te spreken duwde Tayeb me weg. Toen zakte je in elkaar en ze legden je op een stapel bontvellen. Ze dromden allemaal om je heen, maar drie krijgers hielden mij tegen en ik kon niet bij je komen. Tayeb begon je vragen te stellen over een andere stam, de Gesjaka's. Jij gaf antwoord, al klonk het nauwelijks als jouw stem. Je beschreef hun kamp alsof je het van boven kon zien, maar je stem werd zwakker en Gwerath beval hen ermee op te houden, dat moet ik haar nageven. Ze sprak een of ander gebed over je uit en toen mocht ik je naar je tent dragen.'
'Wat gebeurt er nu?' vroeg Kerisj.
'De stam viert feest en jij moet op bevel van Tayeb rust houden. Morgen moeten we voor zijn Raad verschijnen.'

De volgende morgen was Kerisj geheel hersteld en even voor het middaguur werden de Galkiërs gehaald en naar Tayebs tent gebracht. Daar zaten tien stamoudsten en tien krijgers onder wie Enecko met gekruiste benen op de bontvellen. Gwerath knielde bij de tabouret van haar vader en keek angstig naar Forollkin, maar hij vermeed haar blik.
'Welkom bloedverwanten,' zei Tayeb, 'in de Hoogste Raad van de Sjeyasa's.'
'En waarom zou juist Geschenk-brenger van alle krijgers van onze stam hier welkom zijn?' vroeg Enecko.
'Om zijn naam,' zei Tayeb kalm, 'zoals je zult horen. Gaat zitten, bloedverwanten.'
Toen Kerisj en Forollkin plaats genomen hadden, begon Tayeb: 'Stamgenoten, wij bevinden ons nu op het grondgebied van de Gesjaka's. De torgoe van de Godin heeft voor ons gezien waar hun kamp staat en hoe het wordt bewaakt. Nu moet de stam beslissen of we de speer van de Jager zullen werpen of de vrede van de Godin zullen bewaren.'
Enecko sprong op. 'De torgoe van de Jager is vermoeid na de offerdienst en ik neem zijn plaats in. Ik eis zijn recht op om eerst te spreken.'
'Het is je recht,' erkende Tayeb. 'Spreek, Enecko.'
'Stamgenoten, onze leider spreekt over de vrede van de Go-

din. Wij hebben die vrede bewaard en de Jager veracht onze lafheid en keert de Sjeyasa's de rug toe. Wie kan ontkennen dat onze roem getaand is? In de dageraad van de tijd waren de Sjeyasa's de eerstgeboren Kinderen van de Wind. Wij waren niet karig met bloedoffers aan de Jager en hij schonk ons overwinningen en onze kudden gedijden. Onze krijgers leefden voor hun dappere daden en gingen met vreugde naar de speer van de Jager. Nu hebben wij de nieuwe gebruiken aangenomen en onze glorie verwelkt als windbloemen in de herfst.

'Nu deinzen onze krijgers terug voor de strijd, onze vrouwen en kinderen worden gevangengenomen, onze kudden worden kleiner en er zijn minder slaven in onze tenten. De handelaren komen niet meer uit het westen en de greep van de winter is strenger. Dit alles sinds wij de leer van de Godin zijn gaan volgen! Stamgenoten, ik bid jullie, laat ons opnieuw als ware krijgers leven en sterven. Laat ons onze oude vijanden ombrengen en de Jager vereren, zodat hij de Sjeyasa's boven alle Kinderen van de Wind zal verheffen!'

'Enecko, de problemen waarover je spreekt hebben alle stammen getroffen,' protesteerde Gwerath. 'Dode roem leeft alleen in de herinnering. Probeer die uit het graf te doen opstaan en je zult iets afschuwelijks wekken...'

'Vrede, dochter. Ik zal de stamgenoot antwoorden die spreekt voor de torgoe van de Jager.'

Tayebs kalmte schokte Kerisj na het vuur van Enecko's toespraak.

'Oudsten, krijgers, het is niet de Godin die de Sjeyasa's verzwakt. Ze heeft ons twee geschenken gezonden die onze vijanden voor onze speren zullen drijven. Ze heeft ons een nieuwe torgoe gezonden die ons alles heeft verteld wat wij moeten weten van de Gesjaka's om een aanval op touw te zetten, en ze heeft ons Geschenk-brenger en zijn nieuwe wapen gezonden.'

Tayeb zweeg en keek de kring rond. 'Ik aanbid de Godin, maar ik raad niet tot vrede. Ik zeg dat we moeten vechten en dat de Gesjaka's hulpeloos zullen staan tegenover wapens die uit de verte doden. We zullen hun kudden aanvallen en terugkomen met rijkdommen die onder de stam verdeeld zullen worden en aan de Jager en de Godin zullen worden gewijd tijdens de Grote Bijeenkomst.'

Na enkele tellen stilte volgde er een opgewonden instemmend geroezemoes. Enecko's stem sneed erdoorheen.

'Goed gesproken, leider, we zullen samen bloed vergieten!'

Tayeb glimlachte en Forollkin zag eindelijk in wat hij had gedaan toen hij de Sjeyasa's een nieuw wapen in handen had gegeven. 'Tayeb, ik heb je leren boogschieten voor de jacht; om

op dieren te schieten, niet op mensen!'
'En doodt je vaders volk nooit mensen met pijl en boog?'
'Ja, maar het is niet rechtvaardig om...'
'Rechtvaardig? Zonder kracht is er geen rechtvaardigheid,' zei Tayeb, 'en maakt oorlog plaats voor vrede.'
'Dat is niet de leer van de Godin!' riep Gwerath uit.
'Zwijg, dochter!'
'Ik spreek als de torga van de Godin,' zei Gwerath, met boze waardigheid. 'Zij heeft ons geleerd dat het schandelijk is om onze speren in bloed te dopen terwille van roof!'
'Wij vechten om de Gesjaka's te leren ons te respecteren,' antwoordde Tayeb, 'en voor de komende stam. Wie wil zijn leider in de strijd volgen?'
Een voor een stemden alle oudsten en krijgers in en Tayeb ontvouwde zijn plannen voor de aanval. Er was een korte discussie en Enecko deed verscheidene intelligente suggesties die Tayeb dadelijk accepteerde. De Raad ging uiteen en de Galkiërs bleven alleen achter met Tayeb en zijn dochter.
Na een korte vijandige stilte zei de leider tegen Forollkin: 'Je blijft doorgaan met je lessen in boogschieten aan mijn krijgers en je rijdt naast me tijdens de overval, op de ereplaats.'
Forollkin stond op om hem het hoofd te bieden. 'Ik denk er niet aan. Je krijgt van mij geen hulp meer nu ik weet wat de opzet was.'
'Je zult ons helpen en tot je inziet dat ik zo handel om jouw bestwil en dat van de stam zal ik je er desnoods toe dwingen. Jou ook, Gwerath.'
'Vader, ik moest...'
'Je kunt ons gevangen houden,' viel Forollkin haar in de rede, 'maar je kunt mij niet dwingen mee te vechten.'
'Ik heb de macht om over leven en dood van mijn stamgenoten en bloedverwanten te beschikken. Gehoorzaam me of ik zal mijn zuster-zoon voor jouw ongehoorzaamheid laten boeten,' zei Tayeb kil. 'Begrijp je me? Zelfs een torgoe kan gestraft worden als hij de stam in gevaar brengt. En ga nu terug naar jullie tenten.'

Twee dagen later reed Tayeb net toen het licht werd door het kamp met zijn beste krijgers, gadegeslagen door een menigte zwijgende oude vrouwen en oude mannen. Twintig man van de krijgers waren haastig opgeleid in het gebruik van de nieuwe wapens: primitieve bogen en pijlen met weerhaken van been. De torgoe van de Jager zong een krijgslied en raakte elke krijger even aan met de speer in zijn rechterhand.
De torga van de Godin liep tussen de opgestegen krijgers

rond om ieder van hen een stervormig insigne te geven. Zonder iets te zeggen spelde ze er een op de scharlaken mantel van haar vader en wendde zich dan tot Forollkin die vlakbij zijn zadelriem controleerde.

'Neef,' begon ze bedeesd, 'wil jij het teken van de Godin dragen om je in het gevecht te beschermen?'

'Dank je, nee,' zei Forollkin zonder op te kijken.

'Bloedverwant, ik weet dat je de dood niet vreest,' soebatte Gwerath, 'maar ik zou het wachten gemakkelijker kunnen verdragen als je dit wilde dragen.'

Toen keek hij haar aan. 'Zo'n teken zal geen speer afwenden, maar als het jou geruststelt... Gwerath, ik ben onheuser tegen je geweest dan juist was. Wil je me vergeven voor ik uitrijd?'

Gwerath knikte woordeloos en spelde het teken op zijn mantel.

Achter haar stonden Kerisj en Gidjabolgo. Forollkin kon niets bedenken om tegen zijn broer te zeggen. Hij omarmde hem even en steeg op het enige paard te midden van de irollga's. Tayeb gaf het bevel te vertrekken en ze draafden naar het noorden. Kerisj keek hen na tot ze uit het gezicht waren verdwenen en liep dan met Gwerath naar haar tent terug.

Gadegeslagen door Gidjabolgo gaf Kerisj zijn nichtje weer een les in het schrijven. Het was de vierde en ze kon al een tiental woorden keurig schrijven en er heel wat meer herkennen. Na een uur sloot de hand die de hand van Gwerath leidde, zich plotseling om haar pols. 'Ze zijn begonnen,' zei hij.

Gwerath bracht hem naar de tent van de Godin en samen knielden ze voor Sendaaka's beeltenis tot de duisternis Kerisj verliet en hij wist dat de krijgers op de terugweg waren.

Gwerath schrok van de uitputting op het gezicht van haar neef. 'Je ziet eruit alsof jij voor hen hebt gevochten. Weet je of ze behouden zijn?'

'Forollkin is behouden,' zei Kerisj.

Twee uren later stonden ze aan de westrand van het kamp gereed om het hoefgetrappel te begroeten. Kerisj drong zich naar voren door de menigte die bij de omheiningen samendromde. Hij zag dadelijk dat de overval een succes was geweest.

Een honderd irollga's met in de kleuren van de Gesjaka's geverfde horens werden een omheining binnengedreven. Vlakbij stond een groep vrouwen en kinderen die als dieren met touwen aan elkaar waren gebonden.

Alle irollga's van de Sjeyasa's op vijf na werden weggeleid om te gaan grazen. De overgebleven dieren stonden kalm te wachten, onaangedaan door de last van hun dode berijders die over hun ruggen waren gehangen. Een meisje tilde het samengeklitte haar van een bengelend hoofd op en gilde. Een krijger holde langs haar om een vrouw te omhelzen, popelend om haar de sieraden te laten zien waarvan hij de doden had beroofd.

Kerisj liep als een slaapwandelaar tussen de Sjeyasa's rond. Toen hij Forollkin eindelijk ontdekte, holde hij niet naar hem toe, zoals hij van plan was geweest. Zijn halfbroer stond naast Tayeb en de hand van het stamhoofd lag achteloos op zijn schouder. Forollkins mantel was gescheurd en gevlekt, maar hij leek ongedeerd.

Tayeb sprak met een van de oudsten en lachte elk ogenblik; Forollkin was stil. Toen holde Gwerath naar hen toe en kuste haar vader, alle onenigheid even vergetend. Tayeb beantwoordde haar omhelzing.

'Wel, hier is iemand die blij is met onze zege!'

Die woorden zetten meteen een domper op haar vreugde. 'Ik ben blij om je behouden terugkeer, vader.'

'Ja, onze verliezen zijn heel klein en daarvoor kun je je bloedverwant bedanken.'

Ze wendde zich tot Forollkin. 'Ik dank je uit naam van onze hele stam.'

Forollkin zei stil: 'De verliezen aan de kant van de vijand zijn zeker precies wat je gehoopt had, Tayeb.'

'Nou en of,' beaamde het stamhoofd. 'Jouw pijlen hebben de Gesjaka's mores geleerd. Ze hebben een paar man gedood, maar een heleboel doodsbang gemaakt. Het was kinderspel om ze daarna aan je speer te rijgen toen ze ervandoor gingen. En moet je zien, een hele kudde jonge stieren, nieuw bloed voor onze irollga's. Later, Gwerath, zal ik je laten zien wat ik voor je heb meegebracht.'

Hij wilde eerst het bloed van de ketting wassen.

'Dank je, vader.'

Tayeb lachte tegen zijn dochter en kreeg toen Kerisj in het oog. 'Wat is dat nu, zuster-zoon, heb jij geen woorden om ons te verwelkomen?'

'Ik weet niet precies wat je wilt dat ik tegen je zeg.'

Hij sprak alleen tegen Forollkin, die weerzinwekkend opgewekt antwoordde: 'Wel, prijs onze dapperheid, wees dankbaar voor onze behouden terugkeer. Probeer het, broer, dat moet zo'n gouden tong als die van jou toch gemakkelijk vallen.'

'Het spijt me,' zei Kerisj.

'Het spijt je? Nee, dat is helemaal verkeerd. Ben ik geen held van de Sjeyasa's, Tayeb?'

'Dat ben je zeker en wanneer we vanavond de buit verdelen

krijg jij het leeuwedeel.'

'Alsjeblieft, zie je nou?' zei Forollkin. 'Nu moet ik een andere mantel gaan aantrekken.'

'Ik ga met je mee.'

Forollkin drong door de mensenmenigte heen zonder zich iets van zijn broer aan te trekken, maar hij gaf wel antwoord op de ongeruste vragen van vrouwen en oude mannen. Kerisj haalde hem in en pakte zijn arm. 'Forollkin, toe, wat is er gebeurd?'

Nog altijd met die strakke glimlach duwde Forollkin hem weg. 'Kerisj, ik wil er niet over praten, nu niet, kun je dat niet begrijpen?'

De prins liet zijn broer alleen naar de tenten van de krijgers gaan.

De rest van de dag hielp Kerisj Gwerath en Eamey met het verzorgen van de gewonden en 's avonds werd hem ongaarne toegestaan als erkend torgoe het overwinningsfeest bij te wonen.

De schildwachten om het kamp werden verdriedubbeld, maar de mannen die meegedaan hadden aan de strooptocht zaten op hun gemak in het gras, dicht bij de tent van de Jager. Malse irollgakalveren draaiden in hun geheel rond aan het spit boven de vuren en vrouwen gingen haastig rond met uitpuilende zakken gegiste melk.

Kerisj zat tussen Gwerath, gekleed als torga, met een nieuwe ketting om haar hals, en Forollkin die aan één stuk door tegen Tayeb aan zijn rechterhand praatte. Kerisj ving flarden van hun gesprek op, terwijl hij ostentatief deed of hij naar het verslag van Gwerath over de gebruiken van het feest luisterde.

'En dan snijdt mijn vader het vlees en geeft de beste portie aan de krijger naast hem en de volgelingen van de Jager dansen. Hier, neef.'

Kerisj nam de zware aarden kom met irollgamelk aan, dronk gulzig en gaf de kom door.

'Dan wordt de buit tentoongesteld en wij zullen uit naam van de Godin een deel moeten nemen.'

Kerisj' aandacht dwaalde weer af toen hij Gidjabolgo in het oog kreeg, die in de schaduw hurkte.

'Wel, welk nieuws heb je van onze held?' had de Forgiet gevraagd toen Kerisj naar zijn tent terugkeerde.

'Hij is behouden, niet gewond.'

Hij heeft een talent om zijn huid heel te houden. Ik moet hem gelukwensen met zijn voorzichtigheid.'

'Forollkin is een held van de Sjeyasa's!'

'Je hoeft niet zo op te stuiven, meester. Welke grote daden

heeft heer Forollkin verricht?'

'Dat weet ik niet,' zei Kerisj kortaf. 'Hij wilde niet met me praten.'

'Wat? Wil hij nu niet met je praten over roemruchte krijgersdaden? Hij behandelt je als een kind, meester van mij. Hij zou moeten bedenken dat jij zijn prins bent en jij zou hem moeten bevelen de Sjeyasa's te verlaten, al hemelen ze hem nog zo op.'

'Forollkin wil net zo graag vluchten als ik.'

'Net zo graag? Och, mijn meester kent zijn broer het best, ook al neemt hij je niet meer in vertrouwen.'

Het vlees was gaar en het vetste kalf werd naar Tayeb gebracht om het voor te snijden. De eerste plak werd, geprikt op de dolk van het stamhoofd, aan Forollkin gegeven. Denkend aan de verwarde gevoelens die Kerisj tijdens het gevecht in zijn broer had bespeurd vroeg hij zich af wat Forollkin had gedaan om deze eer te verdienen.

Er werden toortsen aangestoken en de kommen met gegiste melk gingen weer rond. Kerisj dronk en toen alle krijgers bediend waren kregen hij en Gwerath hun portie vlees.

Tayeb sprak en beloofde een nieuwe aanval en de volgelingen van de Jager trokken hun zwart-rode gewaden aan. In het midden van de kring dansten ze op de maat van trommels en het geweeklaag van hoorns.

Geen van de twee Galkiërs keek eigenlijk naar de dansers die rondsprongen en draaiden om de speren te vermijden die ze droegen. Gwerath gaf haar pogingen om met Kerisj te praten op en zat met gebogen hoofd en het zilveren haar dat ze met zoveel zorg had gekamd verborg haar gezicht.

De kom met irollgamelk ging weer rond en ditmaal zag Forollkin hoeveel Kerisj dronk en hij zei in het Galkisch tegen hem: 'Je drinkt te veel en je hebt amper iets gegeten, je zult er last van krijgen.'

'Ik merk er niets van, maar hoe staat het met jou, je hebt je heldenportie nog niet verslonden. Vind je niet dat je die verdient?'

'Kerisj, je zou het niet begrijpen...'

'O nee? Je denkt dat je me kunt buitensluiten, maar dat kun je niet,' fluisterde Kerisj. 'Ik weet niet wat je tijdens het vechten hebt gedaan, maar ik weet hoe je je voelde. Waarom had je zo'n vreselijke hekel aan jezelf?'

'Hoe weet je dat, Kerisj?'

Zelfs in het toortslicht was Forollkin bleek en hij greep de schouder van de prins zo hard beet dat hij hem pijn deed. 'Hoe?'

'De machten van de Godgeborenen, broer, die bovennatuurlijke machten die jij zo minachtend verwerpt,' zei Kerisj. 'Ik voelde wat jij voelde en leende je mijn kracht. Je ziet dat ik je beter ken dan je ooit gedacht had.'
'Ik geloof er niets van. Je raadt er naar, je liegt het...'
'De eerste keer was toen je tegen de or-gar-gee vocht en zo trots op je zege was. Je miste toen je de speer wierp, maar ik dacht aan de dolk.'
'Kerisj, je liegt, hou ermee op.'
'Ik lieg niet. De tweede keer voelde je dat ik bij je was, toen je met Enecko worstelde.'
'Toen ik Enecko bijna had gedood, goeie Zeldin...'
Ontzet liet Forollkin zijn halfbroer los, terugschrikkend voor de ogen van de Godgeborene die fonkelden van boosheid en opwinding.
'Hemelse Zeldin, je hebt er het recht niet toe. Dat heeft niemand.'
'De Godgeborenen wel en mag ik mezelf niet verdedigen? Moet ik jou altijd dankbaar zijn? Op de *Zeloka* weigerde je me wapens, je was bang voor wat ik zou kunnen doen, zou kunnen worden...'
'Bang, ja...' zei Forollkin, 'bang om een kind een scherp zwaard in handen te geven!'
'Ik ben geen kind,' fluisterde Kerisj, 'en ik zal het je bewijzen, broer, zelfs zonder de machten van de Godgeborenen. Gwerath, wanneer kan een man als krijger worden getoetst?'
Gwerath had verbijsterd naar de boze stemmen van haar neven geluisterd. Toen Kerisj in het Zindars overging, antwoordde ze aarzelend: 'Op elk tijdstip dat een derde van de krijgers, of meer, aanwezig is en het stamhoofd zijn toestemming geeft.'
'Goed.' Kerisj stond op en trok de witte dolk uit zijn tuniek. 'Tayeb!'
Het stamhoofd legde zijn pen met vlees neer en onderbrak zijn gesprek met de torgoe van de Jager. 'Bloedverwant, waarom verstoor je ons feest?'
'Tayeb, ik draag een wapen en ik maak aanspraak op de status van krijger.'
'Van krijger...' Enecko's stem verhief zich. 'Je bent een torgoe.'
'Kan een torgoe ook niet een man zijn?' vroeg Kerisj.
'Ja,' zei Tayeb onwillig, 'als hij het in het gevecht bewijst.'
'Laat mij dan vechten.'
'Nee,' fluisterde Forollkin, zo geschrokken dat zijn boosheid wegebde. 'Tayeb, hij is dronken.'
'Ik ben niet dronken,' zei Kerisj ziedend. 'Ik eis mijn recht

op om te vechten!'

'Dat zal hij hebben,' bulderde Enecko, die zich van zijn zwartrode gewaden ontdeed en zijn dolk trok. 'Ik zal met plezier tegen je vechten, torgoe.'

'Kerisj, nee!' Forollkin kneep de armen van zijn broer weer fijn. 'Ga dadelijk zitten. Ik verbied het je absoluut.'

'Bloedverwant, daag je Enecko uit?' vroeg Tayeb rustig.

'Nee,' zei Kerisj. 'Ik daag Geschenk-brenger uit.'

De adem van Gwerath stokte. Gidjabolgo schuifelde naar de rand van het toortslicht en Tayebs kalmte verdween.

'Bloedverwant, je kunt je eigen broer niet uitdagen!'

'Halfbroer,' zei Kerisj wreed. 'Is dat tegen de tradities van de stam?'

'Dat is het niet,' mompelde de torgoe van de Jager. 'Laat ze vechten.'

Forollkins handen hingen slap langs zijn lichaam.

'En als ik weiger de uitdaging aan te nemen?'

'Dan zal ik tegen Enecko vechten,' antwoordde Kerisj, 'dolk tegen dolk.'

Forollkin sloot zijn ogen. Ook al was hij nog zo boos, de gedachte dat zijn broer aan de genade van Enecko zou zijn overgeleverd was ondraaglijk.

'Imarko,' bad hij, 'geef me de behendigheid om Kerisj te ontwapenen zonder hem te verwonden.' Hardop zei hij: 'Ik accepteer de uitdaging.'

'O nee, neven, nee!' Gwerath wilde zich tussen hen werpen, maar Tayeb hield haar tegen.

'De uitdaging is aangenomen, baken een kring voor hen af.'

Forollkin trok de dolk van de hogepriester uit de schede aan zijn gordel en wierp hem op het gras.

'Ik kan die niet tegen een bloedverwant gebruiken. Tayeb, leen me de jouwe.'

'Met genoegen, Geschenk-brenger,' zei het stamhoofd en overhandigde hem zijn bronzen wapen. Er werd met toortsen een kring afgebakend en de Galkiërs stapten erin.

Kerisj zag Forollkins schaduw, maar hij wilde hem niet in zijn gezicht kijken. Hij is ervan overtuigd dat hij me kan verslaan, dacht de prins, maar ditmaal zal het niet lukken.

'Begin,' zei Tayeb zacht.

Er was een lang en belachelijk moment waarin ze geen van beiden bewogen en toen deed Forollkin een uitval, met de bedoeling zijn broer zo gauw mogelijk te ontwapenen. Hij probeerde Kerisj tegen de schenen te trappen en met zijn vlakke hand een harde klap op de pols van zijn broer te geven; maar Kerisj was veel sneller en behendiger dan Forollkin had verwacht.

Hij pareerde Forollkins klap, ontweek de schop en danste achteruit. Forollkin probeerde een schijnuitval naar het gezicht van zijn broer en ontsnapte nog maar net aan een houw in zijn arm toen Kerisj zijn gedachten scheen te lezen.

Koppig viel Forollkin weer aan, maar enkel om gepareerd te worden door een dolkhand met verrassende kracht. Verscheidene minuten draaiden ze om elkaar heen en kwamen tot een patroon van verbeten aanvallen en fel verdedigen.

Kerisj maakte geen fouten; hij was sneller dan zijn broer en blijkbaar van plan hem af te matten voor hij zelf aanviel.

Zo gevaarlijk als het was, toch besefte Forollkin dat hij Kerisj zo dicht mogelijk moest naderen om hem puur door zijn grotere kracht te overmeesteren. Hij stormde op zijn broer af en hun dolken kwamen midden in de lucht tegen elkaar. Forollkin probeerde de dolk uit Kerisj' hand te wringen en terwijl zijn broer zich op dit gevaar concentreerde, greep Forollkin zijn linkerarm, trok zijn broer naar zich toe en hield hem onwrikbaar vast.

Kerisj schopte, maar dat had Forollkin verwacht. Grommend incasseerde hij de schop en sloeg zijn rechterbeen om dat van Kerisj en ze vielen samen op de grond, Forollkin bovenop.

Hoewel hij haast geen adem meer had, beet Kerisj in Forollkins hand. Verrast door de pijn verslapte Forollkins greep om zijn dolk net zo lang dat Kerisj hem uit zijn hand kon slaan. Maar nu was zijn eigen dolkhand buiten gevecht gesteld door het gewicht van Forollkin. Kerisj kronkelde zich, hief zijn linkerhand en haalde zijn nagels woest over Forollkins wang.

Forollkin hield nog steeds Kerisj' dolkhand vast, maar met zijn andere vrije hand tilde hij de prins een eind op en smakte hem weer op de grond met zijn linkerarm onder zijn lichaam. Kerisj dacht eerst dat zijn arm gebroken was, zo vlijmend was de pijn, maar toen verlichtte Forollkin de druk enigszins om te proberen de dolk uit de rechterhand van de prins te forceren. Forollkin omknelde de pols van zijn broer tot hij dacht dat hij de botten zou horen breken. Onder zijn rug voelde Kerisj de harde vorm van Forollkins gevallen dolk. Als hij zijn lichaam maar een paar centimeter kon optillen en zijn klem gezette arm vrijmaken... Kerisj wist dat hij hoogstens de kracht had om zijn broer een paar seconden te weerstaan.

Hij gaf een schreeuw alsof de pijn niet om uit te houden was. Zijn rechterhand schokte open en de dolk viel op het gras. Toen welfde Kerisj met inspanning van al zijn kracht zijn rug en duwde zijn lichaam omhoog. Zeker van zijn overwinning reageerde Forollkin net even te langzaam. Al duwden sterke armen hem weer op de grond, Kerisj had zijn linkerarm vrij gekregen. Zijn tastende hand vond de dolk en sneller dan de gedachte stak hij hem in de zijde van zijn broer. De gulp warm bloed scheen Kerisj uit een kwaadaardige trance wakker te schudden. Hij schoof onder Forollkin uit, draaide zich om en bleef hijgend liggen, met zijn bebloede handen voor zijn gezicht.

Forollkin, die nooit had gedacht dat hij voor zijn leven vocht, zuchtte en begon naar zijn broer toe te kruipen. Kerisj schrok terug. Forollkins lichaam huiverde en was stil.

Gwerath rende naar hem toe, terwijl Tayeb Kerisj overeind hielp. 'Ben je gewond?'

Kerisj schudde het hoofd terwijl hij keek naar Gwerath die Forollkins tuniek openmaakte om de wond te inspecteren.

'Bloedverwant,' zei Tayeb, 'onze stam heet je welkom als krijger.

Kerisj bleef onbewogen staan toen er een scharlaken mantel en hoofdband werden gehaald, die hem door de torgoe van de Jager werden omgedaan.

Tayeb vroeg aan zijn dochter: 'Zal hij het halen?'

'Dat weet ik niet,' zei Gwerath. 'Laat me hem naar Eamey brengen.'

'Eerst moet je je bloedverwant als krijger welkom heten,' beval Tayeb.

'Welkom, bloedverwant,' zei de torga van de Godin bitter. 'Je hebt je lessen goed geleerd.'

10
Het Boek der Keizers: *Smarten*

Hoewel zijn daden alle mensen vreemd toeschenen had elke dag van zijn leven hem er dichterbij gebracht. Elke dag had hij het pad kunnen verlaten dat naar leed voerde, maar niemand toonde hem de richting van zijn stappen.

Kerisj zat op zijn knieën in zijn tent en Lilahnee kwam bij hem en begon het bloed van zijn handen te likken. Hij duwde haar heftig weg, verborg zijn gezicht in de kussens en snikte.

'Wat, huilen als een kind, nu je bewezen hebt een man te zijn?'

Kerisj kwam overeind en probeerde het beven van zijn lichaam te beheersen. Gidjabolgo boog zich over hem heen.

'Ik heb water voor je meegebracht om je te wassen. Dat stralende gezicht mag niet door bloed worden ontsierd.' Gidjabolgo glimlachte tegen de prins. 'Nu ben je niet zo knap als toen ik je voor het eerst zag.'

Kerisj kon de droge snikken niet beheersen. 'Ga weg, Gidjabolgo.'

'Nee, lang niet zo knap.'

Hij zette de kom met water bij de matras neer. 'Ze zeggen natuurlijk dat schoonheid uit de ziel komt. Hoe zuiver en helder moet jouw ziel zijn, dacht ik toen ik voor het eerst je gezicht zag. Och, tenminste heb ik langzamerhand de waarheid over je ontdekt en dat heeft me op onze gemeenschappelijke reis aangenaam bezig gehouden.'

'Hou op, hou op!'

Genadeloos bleef de Forgiet kijken naar Kerisj' gesnik en toen de eerste huilbui over was, knielde hij bij hem neer. 'Ik zal je reinigen.'

De protesten van Kerisj negerend boende hij het bloed van de handen en het gezicht van de prins.

'Ziezo, weet je nu weer wie je bent en herinner je je de reden voor je reis?'

Kerisj knikte.

'Ga dan naar je broer,' zei Gidjabolgo.

'Dat kan ik niet!'

'Ben je zo bang om te kijken naar wat je gedaan hebt? Het was een dapper gevecht. Sta op!' beval de Forgiet. 'Wil je Forollkin soms temidden van vreemden laten sterven, zonder zijn

dierbare broer om hem bij te staan?'
'Waarom ben je zo wreed?' Kerisj verborg nog steeds zijn gezicht met zijn handen. 'Ik begrijp je niet.'
'Is de waarheid wreed? Wat zul je doen als hij sterft?'
'Dan breng ik me om.'
'O, een lafaard en een dwaas,' zei Gidjabolgo. 'En hoe zit het met je prijzenswaardige speurtocht? Moet die dan maar niet afgemaakt worden?'
'Ja. Nee. Dat kan ik niet zonder Forollkin.'
'Dus niet alleen je broer moet lijden door die steek. Wil je nog altijd niet gaan kijken wat je hebt aangericht?'
'O Zeldin,' fluisterde Kerisj, 'ja, ik ga naar hem toe.'

Forollkin was nog steeds buiten kennis. Eamey had de wond schoongemaakt en verbonden. Hij lag heel stil onder de bontsprei, nog bleker dan Kerisj.
De prins kwam zo geruisloos de tent binnen dat geen van de beide vrouwen het had gemerkt tot hij sprak.
'Hoe gaat het met hem? Mag ik bij hem blijven?'
'Nee!' Gwerath spreidde haar armen uit om Forollkin te beschermen. 'Ga weg, *jou* moet hij al helemaal niet zien als hij bijkomt.'
Kerisj deinsde terug, maar Eamey liep vlug om het bed heen en pakte zijn handen.
'Natuurlijk moet hij blijven. Ga hier bij zijn hoofd zitten en probeer ons niet in de weg te lopen.'
'Maar hij haat Forollkin,' protesteerde Gwerath, 'hij...'
'Wat weet jij van haat en liefde?' vroeg Eamey scherp. 'Ga slapen en om middernacht kun je me aflossen.'
'Ik blijf de hele nacht hier om te bidden en te waken.'
'Gwerath, je bent doodmoe,' zei Eamey wat zachter. 'Als je niet weg wilt kun je hier een poosje op de strozak slapen.'
'Ik wil niet slapen terwijl hij hier is!' Gwerath was gaan huilen, maar Kerisj leek de twee vrouwen niet te horen of te zien. Hij scheen volmaakt beheerst zoals hij daar bij zijn broer neerknielde. Eamey liep heen en weer om de lampen bij te vullen en liet Gwerath haar boze verdriet uithuilen.
Kort voor de ochtend viel Gwerath toch in slaap waar ze zat, op het voeteneinde van Forollkins bed. Eamey boog zich over de roerloze gestalte van de Galkiër; er was een verse bloedvlek op het verband verschenen. Haar vaardige vingers waren een ogenblik stil toen Kerisj sprak. Ze was zijn aanwezigheid haast vergeten. 'Gaat hij dood?'
'Het is mogelijk,' antwoordde ze ernstig, 'maar ik heb mannen erger wonden zien overleven.'

'Dank je,' fluisterde Kerisj.

Toen de dag aanbrak, werd Forollkin onrustiger. Eens was hij bijna bij bewustzijn en fluisterde Kerisj' naam, maar de prins trok zich zo ver als hij kon terug van het bed.

Eamey wekte Gwerath en ze kookten melk en kruiden om een drank te maken die de gewonde man mogelijk zou kalmeren. Als hij niet doodstil bleef liggen zou Forollkin nog meer bloed verliezen en hij had al te veel verloren.

'Lieve Zeldin,' herhaalde Kerisj zwijgend, 'Zeldin, Imarko, laat hem niet sterven! Neem mijn leven, niet het zijne.'

Gemarteld dacht hij aan al degenen die hem vertrouwd hadden, Izeldon, de keizer, Elmandis, Sendaaka... hij had tegenover hen allen gefaald.

'Als hij in leven blijft,' zwoer Kerisj, 'zal ik al mijn kracht aan onze opdracht wijden. Ik beloof dat ik die ten einde zal brengen, ook al kost me dat mijn leven, maar laat Forollkin leven.'

Ze probeerden Forollkin de drank te laten drinken, maar met weinig succes. Zijn bleekheid had plaatsgemaakt voor een onheilspellende blos. Hij begon te woelen en te kreunen. Gwerath gehoorzaamde Eamey's bevelen handig en vlug, terwijl de tranen ongemerkt langs haar wangen biggelden.

Kerisj was weer dichterbij geslopen en toen Forollkin zich omdraaide en een hand uitstak, pakte hij die en legde haar op zijn hart. Hij herinnerde zich hoe gemakkelijk Elmandis Forollkins gewonde been had genezen, maar nu was er geen tovenaar om hem te helpen.

'De handen van een genezer,' had Elmandis gezegd.

Kerisj boog zich over zijn broer en legde zijn rechterhand op de wond.

'Wat doe je daar? Eamey, verbied het hem!'

'Alsjeblieft, laat me begaan,' fluisterde Kerisj.

'Het is je recht,' zei Eamey en smoorde de protesten van Gwerath.

Zes uren lang bleef Kerisj in zijn krampachtige houding, één hand op de wond en met de andere Forollkins hand vasthoudend, terwijl zijn broer rustiger werd.

Even na het middaguur opende Forollkin zijn ogen.

'Kerisj,' zijn stem was niet meer dan een gefluister, 'ik heb zo naar gedroomd.'

'Ja, maar nu is alles voorbij en je moet slapen.'

Forollkin zuchtte en prevelde iets. Zijn slappe hand gleed uit Kerisj' greep.

Eamey knielde om Forollkins voorhoofd te voelen. 'Hij is nu koeler, de koorts neemt al af.'

'Dan blijft hij vast in leven!' zei Gwerath.

Eamey keek naar Kerisj. 'Bloedverwant, je moest gaan rusten, we zullen je heel gauw weer nodig hebben.'

Kerisj liet zich gedwee naar de strozak brengen. Hij sliep door een bezoek van Tayeb heen die op het punt stond krijgers aan te voeren bij een tweede aanval op de Gesjaka's en toen de prins wakker werd, was het avond en Forollkin was bij bewustzijn.

Gwerath had hem net wat soep gevoerd. Kerisj liep naar het bed toe als iemand die op een zwaard loopt.

'Heb je pijn, Forollkin?'

'Een beetje. Kerisj, wat is er gebeurd?'

De prins verloor zijn zelfbeheersing. 'Forollkin, ik wou dat ik eerst gestorven was. Hoe zul je me ooit kunnen vergeven?'

'Je wat vergeven? Ik kan me niets meer herinneren. Er was die rooftocht. Ik dacht niet dat ik gewond was, dat bloed was niet van mij...'

Kerisj zag het gezicht van zijn broer veranderen toen de herinnering terugkeerde en wachtte. Forollkin dacht na over het gebeurde tot Kerisj de voortdurende stilte niet meer kon verdragen en wegstrompelde, klaar om er vandoor te gaan, zich te verstoppen op een plek waar hij zijn broer nooit meer hoefde te zien.

'Kerisj, kom terug!' Forollkin deed een zwakke poging om zich op te richten, maar Gwerath sprong toe om hem in de kussens te duwen. Hij negeerde haar. 'Kerisj!'

De prins draaide zich om en keek hem aan.

'Kerisj, ik kan het niet begrijpen, nog niet, maar alsjeblieft, kijk niet zo.'

Kerisj wierp zich naast Forollkin neer.

'Ik zweer dat ik me zal beteren. Ik zweer dat ik nooit meer driftig zal worden. Ik zal alles doen wat je zegt...'

Bij die woorden slaagde Forollkin er zowaar in te glimlachen. 'Jij niet, Kerisj, van zijn leven niet.'

'Wel waar!'

'Het doet er nu niet toe,' zei Forollkin mat. 'Het doet er niet toe.'

Geen van beiden zagen ze dat Gwerath de tent verliet.

Hoewel de wond goed genas, kwam Forollkin maar langzaam op krachten.

Bij de volgende trek ging de wond, toen hij de hele dag in een schokkende hangmat was vervoerd, weer open en hij verloor meer bloed.

Eamey verpleegde hem met zachte strengheid, maar Gwerath

kwam niet meer in de buurt van de Galkiërs.

Nu het vaststond dat Forollkin zou herstellen was Tayeb niet langer boos op Kerisj en hij drong erop aan dat hij meeging op de derde rooftocht bij de Gesjaka's, de laatste voordat hun kringen niet langer in elkaar grepen.

Het was Eamey die in zijn plaats antwoordde en Tayeb sprak haar niet tegen.

Elke dag zat Kerisj op het voeteneinde van Forollkins bed, met een verveelde Lilahnee op schoot. Vaak was Gidjabolgo er ook bij, wanneer hij in de opening van de tent hurkte en het leven in het kamp gadesloeg.

Als bij stilzwijgende afspraak praatten de broers alleen over het verre verleden. Beschermd door het Hooggalkisch haalden ze samen vergeten voorvallen en gevoelens op uit de vredige vijvers van de herinnering.

'Weet je nog,' zei Kerisj op een stormachtige dag twee weken na hun gevecht, 'toen we naar Hildimarn gingen? Jij wilde die aantrekkelijke musicienne ontmoeten nadat de tempelpoorten waren gesloten.'

'En jij zat tot drie uur in de ochtend te wachten om mij te helpen door het Raam van de Dageraad naar binnen te klimmen.'

'En de wacht kwam langs en ik moest doen alsof ik de sterren bestudeerde voor een astronomieles, hoewel de lucht zwaar bewolkt was.'

'Ik weet het nog goed, Kerisj, ik heb eens nagedacht. In Lan-Pin-Fria hield ik me ziek om ons te helpen ontsnappen. Hetzelfde kunnen we toch zeker weer doen. Tayeb zal ons nu wel niet meer in de gaten houden.'

De vergelijking sneed Kerisj door de ziel, maar hij zei rustig: 'Nee, dat doet hij niet, hij denkt dat er geen gevaar is zolang jij zo zwak bent.'

'Mooi, dan zal ik hem een hele tijd laten denken dat ik zwak ben.'

'Mijn oom is niet iemand die je gemakkelijk om de tuin leidt,' waarschuwde Kerisj.

'We moeten toch iets doen!' zei Forollkin. 'We moeten weg van de Sjeyasa's.'

'Heb je zo'n hekel aan ze?' Kerisj speelde met de sprei. 'Ik dacht dat je het hier naar je zin had?'

'Er is een deel van me dat hier gelukkig zou kunnen zijn,' antwoordde Forollkin, 'het slechtste deel. Ik had je over de strooptocht behoren te vertellen, maar ik kon het niet. Je zou het begrepen hebben. Ik wist het altijd, maar ik dacht dat ik het nooit meer zou vergeten als ik het eenmaal had beschreven...

Ik had niet gedacht dat een gevecht zo'n uitwerking op me kon hebben. Zeldin mag weten dat ik al eerder heb gedood, maar... Ze bewaakten hun kudden, Kerisj, toen ze ons zagen. Ze renden en galoppeerden naar ons toe om binnen speerafstand te komen. De mannen die ik had leren boogschieten schoten al op hen nog voor ze een speer konden werpen. Ze waren zo stom verrast. We regen de overlevenden aan onze speren. Ze zeggen dat ik meer mannen doodde dan wie ook. Het was beter dan daar te zitten kijken naar de uitdrukking op hun gezichten wanneer de pijlen doel troffen. En dan waren er de kinderen...'

'Forollkin, je hoeft me niets te vertellen.'

'Kerisj, ik doodde een van de kinderen. Een kleine jongen raapte een dolk op en probeerde mij in het been te steken. Ik stak mijn speer dwars door hem heen. Het was ondraaglijk, ik kón de speer niet uit zijn lichaam trekken. Tayeb deed het. Hij zei dat de jongen de zoon van het stamhoofd was en dat ik je moeder had gewroken. Ik wilde niet dat je het te weten kwam.'

'Dacht je dat ik je zou veroordelen?' vroeg Kerisj.

'Nee, maar ik zou de walging op je gezicht hebben gezien.'

'Het zou me koud gelaten hebben; jij betekent meer voor mij dan een dood jongetje.'

'Je zou het vreselijk hebben gevonden, Kerisj, jij ziet de dingen helderder dan ik, jij ziet ze in hun geheel. We zullen er niet meer over praten, of over wat er daarna gebeurde. We moeten ons nu alleen bezighouden met de vraag hoe we in Seld komen.'

Geschokt als hij was gaf Kerisj hem toch enige nuttige inlichtingen. 'Over twee dagen gaat de stam op weg naar de Grote Bijeenkomst. Onderweg zullen ze zich bij andere stammen voegen. Ik weet zeker dat we in de verwarring zullen kunnen vluchten en Tayeb kan ons niet zo heel ver achtervolgen zonder zijn kring te verbreken. Rust, Forollkin, we zullen je kracht nodig hebben.'

De dag van de grote trek bezocht Tayeb Forollkin en hoorde dat hij nog steeds niet in staat was te rijden. Eamey bevestigde dat Geschenk-brenger niet zo vlug herstelde als ze had gehoopt.

Tayeb boog zich over het bed. 'Wel bloedverwant, je moet maar gauw zorgen dat je beter bent, je moet de achting van de stam terugwinnen. Intussen zal mijn dochter je tijdens de trek gezelschap houden. Ze kan goed praten, als je van een vrouw houdt die praat.'

Forollkins hangmat werd tussen de twee paarden gehangen. Gidjabolgo mende ze en Kerisj bereed een van de pakpony's. Halverwege de ochtend voegde Gwerath zich bij hen in het midden van de voorttrekkende massa Sjeyasa's.

Het was een luidruchtige stoet, maar boven het geluid van de hoeven, het gebalk van de irollga's, het gekraak van de wagens en het geschreeuw van de veehoeders beschreef Gwerath de Grote Bijeenkomst. Ze sprak alleen tegen Forollkin.

'Ik was nog maar tien jaar bij de laatste bijeenkomst, maar ik weet het allemaal nog heel goed. Ik was toen nog geen volle torga, maar aangezien ik voor de Godin was bestemd ging ik met de torgi ver de berg op. We keken neer op de vlakte en zongen een zegen over alle Sjeyasa's. Ik liep over de sneeuw die nooit smelt. Ik zag mijn voetstappen op de Heilige Berg en ik wenste dat ik altijd in de hoge oorden kon blijven, waar de Godin dichtbij is.'

'Hoe lang duurt de bijeenkomst?' Gwerath wilde Kerisj niet aankijken, maar ze antwoordde hem wel.

'De stammen kamperen op de lagere hellingen tot de oudste torgoe van de Sjeyasa's zijn speer van de top van de berg naar beneden werpt. Dan keert elke stam terug naar zijn kring en dan is de vrede van de Grote Bijeenkomst voorbij.'

'Bewaren jullie de vrede tijdens de reis?' vroeg Forollkin. 'Zelfs met de Gesjaka's?'

Gwerath knikte.

'Een goede gewoonte,' vervolgde Forollkin. 'Je hebt ons een heleboel over de Erandatsji's verteld, misschien zou jij wat meer over Galkis willen horen.'

'He ja, neef, vertel.'

Forollkin schoof heen en weer in de kussens in een poging het zich comfortabeler te maken.

'Och, dat kan Kerisj beter dan ik. Vertel Gwerath over de negen steden.'

'Met plezier, als...' begon de prins, maar Gwerath viel hem in de rede. 'Ik heb nu geen tijd, ik moet naar de tent van de Godin gaan kijken.'

Ze trok een beetje te hard aan de kop van haar irollga en reed weg.

'Ziehier één dame die zich niet laat inpalmen door de charme van onze prins,' prevelde Gidjabolgo.

'Ik snap haar niet,' zei Forollkin beteuterd. 'Kerisj, de korst jeukt weer zo, heb je nog wat van die zalf van Eamey bij je?'

Op het middaguur maakten ze halt om te rusten en te eten. Met gekruiste benen naast Forollkins hangmat zittend hoorde Kerisj, terwijl hij een kom kwark leegschraapte, plotseling de luide stemmen van Tayeb en zijn dochter.

Even later kwam Gwerath aangereden, langs de groepen zittende vrouwen en ongedurige pakdieren.

‘Het spijt me,’ zei ze. Ze keek naar Gidjabolgo alsof ze hem nog nooit had gezien. ‘Ik heb mijn best gedaan, maar mijn vader wil niet luisteren. De torgoe van de Jager komt zo dadelijk jullie bediende halen.’

Forollkin richtte zich op één elleboog op.

‘Halen? Waarom?’

‘Mijn vader zegt dat de volgelingen van de Jager gesust moeten worden en dat het zo de minste opoffering kost.’

‘Wat is zo?’ vroeg Forollkin ongeduldig. ‘Zeg op?’

De schaduw van de torgoe viel over de hangmat. Naast de oude man stonden twee krijgers met leren riemen in hun handen. De torgoe van de Jager raakte Gidjabolgo aan met de speer in zijn linkerhand.

‘Bindt hem.’

De Forgiet wilde de benen nemen, maar de krijgers grepen hem en trokken zijn armen op zijn rug om ze vast te binden.

‘Halt!’ zei Kerisj. ‘Hoe durven jullie mijn knecht aan te raken?’

‘Het was afgesproken,’ zei de torgoe van de Jager kalm, ‘de dag dat jullie je intrede in de stam deden. Hij behoort de Jager toe en ik zal op hem passen tot we de voet van de berg bereiken.’

‘Hij behoort niemand toe,’ protesteerde Forollkin.

De torgoe wendde zich tot zijn krijgers. ‘Breng de slaaf naar de tent van de Jager.’

‘Ik verbied jullie hem mee te nemen,’ schreeuwde Kerisj.

‘Het werd zo beslist door de stam, torgoe van de Godin, en bevolen door de leider. Bewaar je boosheid voor hem.’

‘Bij Zeldin, dat zal ik doen.’

Kerisj vond zijn oom bij de veehoeders om een twist te beslechten.

‘Ik moet je spreken. De torgoe van de Jager heeft...’

‘Niet hier.’ Tayeb nam Kerisj’ arm en liep met hem naar een groep gekluisterde irollga’s waar ze niet afgeluisterd konden worden.

‘Nu dan, zuster-zoon. Ik weet dat je boos bent en ik zal niet zeggen dat het een kleinigheid is om je slaaf te laten sterven aan de speer van de Jager, maar probeer te begrijpen dat ik voor het bestwil van de stam handel.’

‘Jouw stam.’

‘Nee, de onze.’

Tayeb pakte de handen van de prins, zo onbeholpen alsof iets dergelijks niet natuurlijk voor hem was.

‘Onze stam. Mijn hele leven heb ik opgezien tegen de dag dat mijn kracht afneemt en ik misschien sterf op de hoorns van de stier van de stam, terwijl anderen mijn opvolger kiezen. Nu heeft de Godin mij het kind van mijn zuster gezonden en het is wel vaker gebeurd dat een krijger-torgoe leider van de stam wordt.'

Kerisj kon het niet over zich verkrijgen zijn handen weg te trekken, maar hij zei ijzig: 'Dat is ver in de toekomst, maar Gidjabolgo...'

'Talvek, twintig jaar lang heb ik mij verzet tegen de terugkeer van de oude gebruiken, maar de volgelingen van de Jager hebben luide stemmen in de raden van de Sjeyasa's. Ik kan ze niet altijd trotseren of ik zal, als ik mij in elk gevecht stort, de oorlog misschien verliezen. Kun je niet geloven dat ik de Godin dien?'

Kerisj keek langs zijn oom naar de roodbruine flanken van de irollga's die vredig liepen te grazen. 'Ik denk, ik geloof dat het je bedoeling was haar te dienen, maar dit kan niet juist zijn.'

'Zou jij liever zien dat ik de Jager een vrouw of een kind geef?'

'Wat gaan ze met hem doen?'

Tayebs handen vielen langs zijn lichaam. 'Ik heb hun riten nooit bijgewoond. Ik weet het niet, Talvek, maar het is slechts één dode in de zeven jaar. In de donkere tijden was de speer van de Jager nooit droog.'

'En jij drijft de stam weer die weg op als je deze moord toelaat,' zei Kerisj scherp. 'Jouw schuld zal even groot zijn als de hunne.'

'Het zijn geen moordenaars, Talvek; hun enige streven is de Jager eer te bewijzen. Enecko houdt evenveel van de Sjeyasa's als ik. Wij spannen ons in om ieder op onze eigen manier de stam te dienen.'

'Maar jij geeft de inspanning op!' protesteerde Kerisj.

De zoom van Tayebs mantel was een scharlaken plas tussen de vertrapte windbloemen. Hij keek ernaar terwijl hij zei: 'Zuster-zoon, de mens is niet zo volmaakt als jij zou willen. We moeten allemaal een stukje van onze dromen opofferen of kapotgaan aan de wreedheid van de wereld. Mijn dochter kan dit maar niet begrijpen en kwetst mij met elk woord dat ze zegt. Je moet toch inzien dat er veel en met pijn moet worden geofferd om weinig te bereiken.'

'Met pijn? Jij offert levens op het altaar van je macht, maar ik heb je nooit een traan zien vergieten,' zei Kerisj. 'Neem nu de kinderen van de Gesjaka's...'

'Dat is oorlog, iets heel anders.'

'Het is niet zo heel anders voor hen die sterven. Hun bloed...'

'Bloed? Zijn jóuw handen zo schoon dat je mij kunt veroordelen? Ik heb tenminste nooit geprobeerd een bloedverwant te doden.'

Kerisj stapte achteruit alsof hij een klap ontweek.

'Is dat zo heel anders, Talvek?' vroeg Tayeb.

'Nee.'

Toen hij het verslagen gezicht van Kerisj zag, leek het of Tayeb zich liet vermurwen.

'Je bent jong, je praat net als Taana vroeger, maar je hebt de moed van een man.'

Hij haalde iets wits uit de borst van zijn tuniek.

'Hier is je dolk, draag hem als een krijger. Krimp niet ineen, zuster-zoon. Draag hem,' zei Tayeb wreed, 'als herinnering aan het bloed dat je hebt vergoten, tot je het voor een betere zaak vergiet.'

'Je bent eerlijk.' Kerisj nam de dolk aan en stopte hem tussen zijn gordel. Door het dunne leer heen voelden zijn vingers de gouden ketting om zijn middel.

'Ik kan niets voor je slaaf doen,' vervolgde Tayeb. 'Het spijt me dat iemand, wiens leven niet gelukkig kan zijn geweest, op zo'n wrede manier moet sterven, maar de Jager zal hem in zijn eigen kring opnemen en de stam zal zijn naam levend houden. Wees flink, zuster-zoon.'

Tayeb kuste Kerisj op het voorhoofd en liep vlug weg.

Die middag werd er aan de einder een andere stam gesignaleerd. Binnen een uur was het mogelijk de symbolen te onderscheiden op de banier die de eerste ruiters droegen. Tayeb verzamelde een escorte en reed weg om het stamhoofd van de Besjgoreens te begroeten.

Ze zwoeren vrede te houden, wisselden geschenken uit en zij aan zij sloegen de stammen een tijdelijk kamp op. Ze zouden gezamenlijk naar de Heilige Berg trekken. Om aan de verwarring en opwinding te ontsnappen glipte Kerisj weg naar de haastig opgezette tent van de Godin, het aan Eamey overlatend om het Forollkin gerieflijk te maken.

Slechts één van de wandtapijten was uitgepakt, de rest van de inrichting bevond zich nog op de kar en de torga van de Godin zat op de grond te snikken met een schoot vol windbloemen. Na een ogenblik voelde ze dat iemand haar gadesloeg en ze keek op.

'Nichtje, moet ik weggaan of kun je me je verdriet vertellen?'

'Wat kom je hier doen?' Gwerath veegde de tranen uit haar

ogen en wierp haar haar achterover.
'Denken,' antwoordde Kerisj eenvoudig.
'Wat heeft mijn vader gezegd over je slaaf?'
'Een heleboel,' Kerisj kwam wat dichterbij, 'maar de kern was dat Gidjabolgo moet sterven.'
'Hij wil nooit naar me luisteren, nooit. Ik haat hem.'
'Gwerath, je kunt niet iemand haten die van je houdt.'
'Ik haat hem.' Ze begon weer te snikken.
Kerisj knielde bij haar neer, maar waagde het niet haar aan te raken. 'Hij houdt niet van me,' zei Gwerath. 'Hij heeft niets aan mij. Ik kan geen stamhoofd worden en ik kan er niet voor zorgen dat ze de Godin vrezen.'
'Je vader houdt van je als dochter, niet als torga.'
'Hij hield niet van mijn moeder.' Gwerath trok de blaadjes uit een windbloem. 'Ze is gestorven omdat hij niet van haar hield en hij praat er nooit over.'
'Vaak verbergt zwijgen verdriet,' zei Kerisj. 'Nichtje, ik dank je dat je je het lot van Gidjabolgo zo aantrekt.'
'Natuurlijk trek ik het me aan! Jij denkt dat de Sjeyasa's barbaars zijn, hè? Misschien zijn we het wel. Ik haat de stam ook, ik zal er nooit echt bij horen.'
'De Sjeyasa's zijn bang voor het donker. Ik ook,' bekende Kerisj. 'Het is alleen verkeerd om er zo'n soort oplossing voor te willen zoeken.'
Gwerath deed haar best met huilen op te houden. 'Wat ga je voor je slaaf doen?'
Kerisj riskeerde de waarheid. 'We zullen proberen hem te redden en samen te vluchten. We moeten in Seld zien te komen.'
'Maar Forollkin kan nog niet rijden!'
'Hij is sterker dan hij lijkt. Gwerath, je vertelt het toch niet aan je vader?'
'Ik zou Forollkin nooit verraden!'
Kerisj werd er meteen weer aan herinnerd dat zijn nichtje hem niet had vergeven. Hij stond op. De windbloemen vielen uit Gweraths schoot toen ze zijn voorbeeld volgde en hem achterna liep.
'Hoe ben je van plan je bediende te redden?'
'Dat weet ik nog niet precies. Ik ga naar de tent van de Jager om te zien of ik erachter kan komen hoe hij wordt bewaakt.'
'Ze zulllen je niet in zijn buurt laten komen. Ik zal ontdekken wat je wilt weten. Dan kom ik naar Forollkin toe en we kunnen plannen maken.'
'Gwerath, dit zijn onze moeilijkheden, niet de jouwe. Als je vader erachter kwam...'

'Ik ben de torga van de Godin,' zei Gwerath, 'en jullie zijn mijn neven. Het zijn ook mijn moeilijkheden. En wat mijn vader betreft, die denkt dat ik me alleen met woorden tegen hem kan verzetten. Hij denkt dat ik hulpeloos ben, maar dat ben ik niet!'

'Nee, waarachtig niet, nichtje,' antwoordde Kerisj voorzichtig, 'en het is waar, we hebben jouw hulp nodig.'

Ze glimlachte bijna tegen hem.

Kerisj liep terug door het kamp en de rook van de kookvuren dreef over zijn pad. Er was alleen een handvol tenten en windschermen opgezet, maar Forollkin had er een van.

Eamey had hem net een van haar dranken gebracht. Forollkin rook goedkeurend aan de drinkhoorn. 'Je dranken zijn het lekkerste dat ik bij de Sjeyasa's heb geproefd. Die hier is geen aansporing voor me om ooit beter te worden.'

'Maar ik zie dat je hem toch opdrinkt,' zei Eamey droog. Ze wendde zich tot Kerisj. 'Ben je in de tent van de Jager geweest?'

De prins aarzelde.

'Misschien kun je het me beter niet vertellen.' Eamey keek hem ernstig aan. 'Vanavond onthaalt Tayeb het stamhoofd van de Besjgoreens, daar waar de twee kampen aan elkaar grenzen. Ik zal bij hem zijn. Moge de Godin met jullie zijn.' Ze nam de lege hoorn uit Forollkins hand en verliet de tent.

Lilahnee duwde tegen Kerisj' benen om zijn aandacht te trekken. Hij bukte zich om haar te strelen en bracht verslag uit over zijn gesprek met de torga. Toen hij uitgesproken was, schold Forollkin zijn broer uit omdat hij had toegelaten dat Gwerath hen hielp, maar hij wachtte even ongeduldig op haar komst als Kerisj.

Het duurde niet lang voor ze er was en ze liet zich op een stapel kussens vallen om weer op adem te komen.

'Herinner je je de tent van de Jager nog?' vroeg ze. 'Hij wordt door wandtapijten in drieën gedeeld. Ze hebben een paal in het derde gedeelte in de grond geslagen en je knecht eraan vastgebonden. Het tapijt is weggetrokken zodat een wacht onder de beeltenis van de Jager hem steeds kan zien. De torgoe is er ook en een andere krijger patrouilleert om de tent.'

Forollkin trok een lelijk gezicht. 'Het is erger dan ik dacht. Maar goed, als ik...'

'Nee, luister, ik heb er iets op gevonden.'

Het was een goed plan, dat gaf Forollkin toe voordat hij het verwierp. 'Waarom?' vroeg Gwerath.

'Je kunt ons onmogelijk openlijk helpen,' zei Forollkin. 'Je vader...'

'Mijn vader zal me misschien een pak slaag geven,' antwoordde Gwerath, 'maar hij kan de torga van de Godin nooit echt kwaad doen. Trouwens, jullie zullen me nodig hebben om jullie om het kamp heen en dwars door de kudden te loodsen. Ik weet waar elke schildwacht zal staan, jullie weten dat niet.'

'Forollkin,' zei Kerisj zacht, 'we hebben geen keus. We moeten hier weg.'

Forollkin knikte onwillig. Gwerath keek hem gretig aan en hij pakte haar handen.

'Nichtje, we kunnen ons nooit revancheren voor het geschenk van jouw moed.'

Haar glimlach was extatisch. 'Het is een goed plan, bloedverwant, het zal lukken!'

Later op de avond verlieten de Galkiërs hun tent. Ze legden kussens onder de bontspreien om een toevallige blik te misleiden en slopen, gehuld in hun mantels en de kappen op, met Gwerath naast hen en Lilahnee op hun hielen, door het kamp.

Ze bleven staan in de schaduw om naar de tent van de Jager te kijken. Door de flap zagen ze een zwak licht, maar ze konden alleen de windharpen horen. Het was te hopen dat geen krijger de tent was binnengegaan om een offer te brengen. Ze hadden nog geen halve minuut gekeken voor een rijzige gestalte in een scharlaken mantel om de voorkant van de tent heenliep. Hij droeg een speer en er stak een dolk in zijn gordel.

'Kerisj,' siste zijn broer, 'weet je zeker dat je hem kunt...'

Kerisj knikte en gebaarde dat ze verder moesten gaan. Onder de plooien van zijn dikke mantel trok Forollkin met zijn linkerhand zijn dolk. Zijn rechterhand legde hij op Gweraths schouder en hij leek zwaar op haar te leunen. Met slepende stappen liepen ze naar de ingang en werden aangehouden door de schildwacht.

Gwerath antwoordde hem. 'De Geschenk-brenger komt genezing zoeken zoals ik de torgoe heb gezegd.'

De krijger knikte en liet zijn speer zakken. Onopgemerkt was Kerisj naar de achterkant van de tent geslopen. Zo dicht bij het pad van de schildwacht als hij durfde knielde Kerisj neer en sloeg zijn armen om Lilahnee. Op weg naar de tent had hij de hele tijd de moeraskat beelden ingeprent van wat hij wilde dat ze zou doen. Toen de voetstappen naderbij kwamen, herhaalde hij het beeld en liet haar los.

Toen de schildwacht om de hoek van de tent kwam, stapte Lilahnee over het natte gras op hem af. De man schrok en liet zijn speer zakken, maar Lilahnee keek hem met onschuldige gouden ogen aan en miauwde zacht. Het was een geruststellend en enigszins lachwekkend geluid voor zo'n angstaanjagend dier.

De schildwacht haalde opgelucht adem. Hij had de nieuwe torgoe het beest zien liefkozen en het leek vriendelijk. Hij liet haar om zijn benen draaien en bukte zich zelfs om haar te strelen. Kerisj besloop hem geruisloos van achteren en sloeg hem op zijn hoofd met de steen in zijn hand. Het was een geduchte klap en de man zakte zonder een geluid op de grond in elkaar.

Tot opluchting van de prins was de man niet dood. Kerisj haalde een leren riem uit zijn mouw. Biddend dat zijn onhandige knopen niet los zouden raken bond hij de krijger aan handen en voeten, stopte een doek in zijn mond en sleepte hem naar het hoge gras.

In de tent nam een tweede schildwacht Gwerath en Forollkin dreigend op. Achter hem, in het onverlichte gedeelte van de tent, ontwaarden ze Gidjabolgo, vastgebonden aan een paal. Zijn slavenband was vervangen door een scharlaken bloemenkrans van de slachtoffers van de Jager. De magere gestalte van de torgoe van de Jager stond, geleund op een staf, onder de beeltenis van zijn god.

'Je bent welkom, Geschenk-brenger,' mompelde de oude man. 'De torga heeft me gezegd dat je genezing zoekt. Treed nader.'

Alsof elke stap pijnlijk was liep Forollkin langzaam naar de torgoe toe en Gwerath hielp hem voor hem te knielen. Hij hoorde het schrapen van laarzen over gras toen de tweede schildwacht langs de tentflap liep. Ze moesten Kerisj voldoende tijd geven om zijn taak uit te voeren.

'Leer me welke offers aanvaardbaar zijn voor de Jager,' zei Forollkin. 'Mijn wond wil niet genezen.'

'Je moet je ziel offeren om op de speer van de Jager te worden gespiest,' antwoordde de torgoe. 'Je moet gevangen worden in zijn valstrik, verstrikt in zijn net.'

Niet wetend wat de torgoe heel schrander op Gweraths gezicht had gelezen vroeg Forollkin zich vluchtig af waarom de oude man haar verhaal zo grif had geaccepteerd.

'Ik beloof dat ik voor de Jager zal vechten; zeg me...' Forollkin zwaaide heen en weer alsof hij op het punt stond flauw te vallen. De torgoe pakte zijn schouders om hem te steunen, maar met verbluffende snelheid stond Forollkin op en trok de oude man mee. De schildwacht riep zijn kameraad terwijl hij kwam aanrennen. Er kwam geen antwoord.

'Nog één geluid en ik snijd zijn keel door,' zei Forollkin die zijn dolk al op de hals van de oude man drukte.

De schildwacht aarzelde. Zijn speer was geheven, maar de Galkiër hield de torgoe als een schild voor zijn lichaam en Gwerath stond achter hen.

'Laat je dolk en je speer vallen,' beval Forollkin, 'en kn
met je handen op je rug.'

Bloedspatten spikkelden op de gerimpelde huid toen de dolk in de keel van de torgoe prikte.

'Doe wat hij zegt,' hijgde de oude man, 'en laat hen aan de Jager over.' De schildwacht gehoorzaamde. Gwerath bond hem en raapte zijn wapens op en deed dan hetzelfde met de torgoe terwijl Forollkin hem vasthield. Samen duwden ze de twee gevangenen achter een gordijn en lieten hen daar liggen.

Forollkins hand vloog weer naar zijn dolk toen iemand de tent binnenkwam.

Het was Kerisj.

Half overmand door opluchting en uitputting en de heel echte pijn in zijn zij zonk Forollkin neer op een stapel bontvellen.

'Neef, gaat het niet meer?'

'Zanik niet over mij,' zei Forollkin knorrig. 'De schildwacht?'

'Gebonden met een prop in zijn mond,' antwoordde Kerisj, 'en op een plek waar niemand over hem zou moeten struikelen.'

'Buitengewoon, ik feliciteer mijn meesters met hun onverwachte talenten. Vuile trucs en geweld.'

Gwerath wilde de Forgiet aanvliegen. 'Hoe kun je zo spreken terwijl...' maar Kerisj lachte terwijl hij Gidjabolgo lossneed. Hij gaf de Forgiet de speer en de scharlaken mantel van de eerste schildwacht.

'Tayeb...' begon Gidjabolgo.

'Hij houdt ons of de paarden niet langer in de gaten,' viel Forollkin hem in de rede, 'dus vannacht verlaten we de Sjeyasa's.'

'Wat, de dame ook?' informeerde Gidjabolgo.

Hij keek Kerisj aan, maar het was Forollkin die antwoordde: 'Ze loodst ons alleen door de kudden, maar jij hebt je leven aan Gwerath te danken.'

'Als we veilig en wel weg zijn zal ik haar bedanken,' zei Gidjabolgo.

De drie reizigers, het meisje en de moeraskat verlieten de zwart-rode tent en hoopten dat de gevangenen die ze achterlieten niet voor de volgende ochtend ontdekt zouden worden. De meeste Sjeyasa's waren daar waar de kampen aan elkaar grensden bij de Besjgoreens en ze konden vaag geschreeuw en gelach horen.

De zuidkant van het kamp was donker en stil. Er brandden nog maar enkele vuren en alleen vrouwen en kinderen lagen erbij te slapen. Niettemin waren de reizigers heel voorzichtig toen ze om het kamp heenliepen, van schaduw naar schaduw sluiend, om de plek te bereiken waar de paarden stonden.

Eens botsten ze bijna tegen een lachend paartje dat op zoek was naar een lege tent, maar de jonge gelieven keken nauwelijks naar hen. Eén keer hielden ze hun adem in en bleven staan toen een groep halvemannen niet ver van hen vandaan kwam aanlopen, druk pratend over de beste hoornsoort om gordelgespen te maken.

Zwijgend kwamen ze bij de geïmproviseerde omheiningen. De maan ging schuil achter de wolken en het was een heel donkere avond. Tussen de zwarte omtrekken van zittende irollga's kon Forollkin net het glanzende wit van hun paarden zien. Ze gingen er voetje voor voetje naar toe, maar weldra roken de irollga's de aanwezigheid van Lilahnee. Een paar stonden snuivend op en Forollkin was bang dat ze zo onrustig zouden worden dat een schildwacht weldra poolshoogte zou komen nemen.

'Kerisj, neem Lilahnee mee en wacht op ons bij de beek.'

De prins gehoorzaamde en hij en de moeraskat waren in het donker weldra uit het gezicht verdwenen. Kerisj bleef heel stil staan, probeerde één te worden met het donker en wenste dat Lilahnee niet zo luidkeels stond te spinnen.

Hij zag niet dat Gwerath brutaal naar een schildwacht liep en Forollkin hem van achter neersloeg, maar hij hoorde al gauw het gerinkel van paardetuig. Forollkin leidde de beide paarden aan de teugel en de pakpony's volgden gehoorzaam, met op hun ruggen weer de bagage die neergegooid was op de plaats waar zij vastgebonden waren.

De Galkiërs stegen op en Gidjabolgo klauterde op een van de pony's die hinnikte van boosheid toen hij de bekende greep van handen in zijn manen voelde. Gwerath zou ook een pony berijden omdat haar eigen irollga zou kunnen hinniken als hij Lilahnee rook en daardoor alarm slaan.

Ze steeg handig op en probeerde een schop in zijn flanken uit, die haar naast het hoge paard van Forollkin bracht.

'Als we links van de tweede kudde blijven zouden we de schildwachten moeten vermijden.'

Forollkin verweet zichzelf zwijgend dat ze haar hulp hadden geaccepteerd, maar het was Kerisj die zei: 'Nichtje, weet je heel zeker dat je dit echt wilt?'

'We moeten voortmaken,' zei de torga van de Godin.

In de hoop de schildwachten te ontlopen die de kudden tegen nachtelijke rovers moesten beschermen, liet Gwerath hen een slingerende koers door gevaarlijk maanlicht en welkome duisternis rijden. Bang om te veel lawaai te maken begonnen ze stapvoets. Telkens als de maan achter de wolken te voorschijn kwam snakte Kerisj ernaar het op een galop te zetten. Zelfs uit de verte kon het silhouet van een paard niet voor een irollga worden aangezien.

Ongeveer een half uur nadat ze het kamp hadden verlaten zei Forollkin, terwijl ze een glooiende heuvel opdraafden: 'We moeten nu toch wel voldoende afstand tussen ons en de schildwachten hebben. Hoe lang nog voor we buiten de kring van de stam zijn?'

'Een uur rijden naar het zuiden, niet meer,' antwoordde Gwerath.

Forollkin boog zich voorover om haar hand te grijpen. 'Je hebt ons er goed doorheengeloodst, nichtje. Ik wou maar dat ik er zeker van kon zijn dat jij hierdoor geen narigheid krijgt.'

'Dat krijg ik niet,' zei Gwerath brutaal, 'als jullie me meenemen.'

Voor Forollkin kon antwoorden kwam de maan weer te voorschijn en schreeuwde Gidjabolgo een waarschuwing toen drie met speren gewapende mannen van de top van de heuvel kwamen aanrijden.

Forollkin wilde de boog aan zijn zadel pakken, maar het was al te laat.

'Eén beweging, Geschenk-brenger, en ik rijg je aan mijn speer,' zei Enecko.

11
Het Boek der Keizers: *Kronieken*

Maar de keizer sprak tot zijn zoon: 'Hoe goed de reden ook mag zijn, ik smeek je niet te vertrekken. Er zijn hier genoeg misstanden die je kunt bestrijden. Je kunt je misschien losrukken, maar je zult hen kwetsen die aan je gebonden zijn. Daarom, mijn liefste zoon, vergewis je ervan dat de prijs zowel hun pijn als de jouwe waard is.'

Verstijfd door Enecko's woorden dacht Forollkin heftig na. Ze waren met zijn vieren tegen drie, maar Gidjabolgo was nutteloos en Kerisj... wel, bijna, en zou de moeraskat hen helpen?

'Hoe durf je de bloedverwant van de leider te bedreigen?' Gwerath reed naar de onwrikbare speren.

'Hij begeleidt de torgi, in de aangelegenheid van de Godin.'

'En de slaaf?'

'De torgoe van de Jager heeft erin toegestemd hem vrij te laten.'

'Je liegt,' zei Enecko kalm, 'de slaaf is bestemd tot gejaagde en de jacht eindigt alleen met de dood.'

'Je kunt ons niet bedreigen,' herhaalde Gwerath, maar haar hand gleed naar de dolk in haar gordel.

'Ik dien de Jager,' antwoordde Enecko, 'en mag jacht maken op zijn slaaf. Als ik torgi dood zal dat weliswaar mijn eigen dood ten gevolge hebben, maar niets kan mij beletten Geschenk-brenger aan mijn speer te rijgen. Mijn krijgerbroeders zullen getuigen dat hij de slaaf hielp ontsnappen. Ik zal het doen als jullie je wapens niet laten vallen en met mij terugrijdt.'

'Enecko,' riep Kerisj, 'als je ons mee terugneemt breng je de Jager weliswaar zijn slachtoffer terug, maar je zult de Godin en Tayeb een veel groter geschenk geven. Het stamhoofd zal zich verheugen over de terugkeer van zijn dochter en zijn neven, en mij beschouwt hij niet alleen als torgoe, maar als zijn opvolger. Begrijp dat als wij niet mogen vluchten, ik mijn gevangenschap zonder morren zal aanvaarden en ernaar zal streven over de Sjeyasa's te heersen!'

In het bleke maanlicht kon Kerisj de uitdrukking op het gezicht van Enecko niet beoordelen. Misschien bracht hij de volgeling van de Jager alleen op de gedachte hen allemaal te vermoorden. Zouden Enecko's metgezellen dat goedkeuren? Ze leken al niet erg op hun gemak nu ze hun speren op Gwerath

richtten.
Kerisj vervolgde behoedzaam: 'Denk aan de Godin, ze hee nu een torga en een torgoe. Ik heb al wat van mijn macht in haar getoond en ik kan nieuwe volgelingen voor haar leer winnen. Maar als je ons laat gaan, heeft Tayeb zich belachelijk gemaakt. Dan is hij zijn opvolger kwijt en de Godin haar torgoe. Dit alles kun je bereiken door in het donker aan ons voorbij te rijden.'
De twee andere krijgers begonnen dadelijk te spreken, maar Enecko zat ineengedoken in het zadel, wreef het handvat van zijn speer en prevelde een gebed tot de Jager.
De moeraskat stond naast Kerisj, haar kop ter hoogte van zijn stijgbeugels. Toen het zwijgen maar bleef duren begon hij haar voor te bereiden met beelden waarin ze aanviel. Toen zei Enecko: 'Je spreekt goed, torgoe en ik zou aan veel dingen voorbijrijden om onze mensen de dwaasheid te tonen van het vereren van een Godin die het bloed uit de mannen van de Sjeyasa's zuigt. Ons stamhoofd heeft geen hart dat gebroken kan worden, maar ik zou er heel wat voor over hebben om zijn trots te breken. Ik ga akkoord: ik zal jullie laten gaan, zelfs de slaaf, want er zijn andere slachtoffers en de Jager zal hem te zijner tijd aan zijn speer rijgen. Maar op één voorwaarde. De torga van de Godin gaat met jullie mee.'
'Ze moet naar het kamp terugkeren,' zei Kerisj.
Forollkin zou zijn protest bij dat van Kerisj hebben gevoegd, maar Gwerath fluisterde: 'Stem toe. Ik kan later ongemerkt naar het kamp terugkeren.'
Toen hij aarzelde, riep ze: 'We nemen je voorwaarde aan.'
'Goed, dan zullen we met jullie naar de grens van onze kring rijden. Rij voor ons en langzaam,' zei Enecko. 'Probeer te vluchten en ik steek mijn speer in Geschenk-brengers rug.'
Zoals hun was bevolen reden de reizigers langzaam naar het zuiden, met Enecko en zijn metgezellen altijd een paar stappen achter hen. Na een zwijgend uur bereikten ze een ondiepe beek die af en toe glinsterde in het maanlicht en Enecko wreef zich over het voorhoofd en mompelde: 'De kring gaat strak staan, voel je het niet, dochter van Tayeb?'
'Ik voel het.' Ze was heel bleek.
'Steek over!' beval Enecko.
De moeraskat ging als eerste spattend naar de overkant, de paarden volgden. Gwerath was de laatste zodat de anderen haar gezicht niet zagen toen ze haar pony het koude voortsnellende water indreef.
'Vaarwel, torga van de Godin,' riep Enecko, 'kijk voor het laatst naar de Kinderen van de Wind. Je kring is verbroken.'

‘Ik zal niet omkeren,’ zei Gwerath.

Enecko hief zijn speer bij wijze van spottende groet en riep zijn metgezellen. Ze draaiden zich om en galoppeerden terug naar het kamp.

‘Wat bedoelt hij?’ wilde Forollkin weten.

Gwerath keek Enecko na. ‘Ik kan niet meer terug. Zij zouden getuigen dat ik mijn kring verbroken heb en de stier van de kudde zou weten dat het waar is. Ik zou de dood op zijn hoorns vinden.’

‘Maar Tayeb...’ Forollkin constateerde woedend dat Kerisj niet verbaasd keek en Gidjabolgo grinnikte schor.

‘Wel, nu hebben jullie nuttig gezelschap op je tocht. Welke tovenaar kan jullie nu weerstaan?’

‘Zwijg,’ snauwde Forollkin. ‘Als ik het geweten had, Gwerath, zou ik nooit goed gevonden hebben dat je ons hielp, nooit!’

‘Ik kan nu nergens meer naar toe in Erandatsjoe,’ zei Gwerath met een benepen stemmetje. ‘De andere stammen zouden weten dat ik mijn kring verbroken had.’

Forollkin haalde diep adem. ‘Wel, nichtje, dan moet je maar met ons meegaan en we zullen proberen een plek te vinden waar je gelukkig kunt zijn.’

‘Zou ik niet gelukkig zijn in jouw Galkis?’

‘We gaan niet naar Galkis,’ zei Forollkin bars.

Het was een gelaten groepje reizigers dat in zuidwestelijke richting naar het woud Immerverlaten en de Engte van Lamoth reed en Kerisj was niet de enige wiens gedachten bij Tayeb waren. Weldra zou hij weten hoeveel hij verloren had.

‘Vergeef me, oom,’ bad Kerisj, ‘maar je hebt tenminste Eamey’s liefde nog. Vergeef me als alles wat ik je kan geven schuldgevoelens zijn.’

‘s Middags aten ze wat van het voedsel dat Gwerath in de zadeltassen had verstopt en reden verder, snel en zwijgend. Tegen de avond zagen ze in de verte een hoop groene bulten. Het bleek een grote groep lage plaggenhutten te zijn, blijkbaar verlaten.

‘Dit moet het winterkamp van de Besjgoreens zijn,’ zei Gwerath.

‘We brengen hier de nacht door,’ beval Forollkin.

Ze lieten de paarden los om te grazen, kozen een van de dichtstbijzijnde hutten en kropen door de lage ingang een bedompt vertrek binnen.

‘Nou ja, het is tenminste uit de wind,’ zei Forollkin, terwijl hij zich afvroeg hoe de Erandatsji’s de wintermaanden konden doorkomen, op elkaar gepakt in zulke hutten.

'Wormen leven uit de wind,' zei Gidjabolgo zuur, 'maar ik benijd ze niet.'

Gwerath deed de Galkiërs voor hoe ze een plaggenvuur moesten maken en weldra was de hut vol licht en rook. Forollkin ging naar buiten om iets voor het avondeten te schieten. Hoestend en klagend ging Gidjabolgo in een hoek liggen en deed of hij sliep.

Gwerath knielde bij het vuur om het gaande te houden en Kerisj keek naar haar. Ze was gekleed in jongenskleren en een geleende scharlaken mantel. De kleren en haar mes waren alles wat ze van de Sjeyasa's had meegenomen. Toen het vuur goed brandde, ging Gwerath op haar hurken zitten en veegde aarde en gras van haar handen.

'Waar gaan we naar toe, als jullie niet teruggaan naar Galkis?' vroeg ze.

'We gaan naar het koninginnerijk Seld en de citadel van de tovenaar Saroc.'

'Een tovenaar?'

'Je kijkt zo verschrikt, Gwerath,' zei Kerisj en waagde een lachje, 'hebben jullie geen tovenaars bij de Kinderen van de Wind?'

'Het is verboden,' antwoordde Gwerath. 'De Jager zou vertoornd zijn en de Godin ook. Waarom moeten jullie de tovenaar bezoeken?'

'Gwerath, weet je nog dat ik vertelde over het grote stamhoofd van Galkis en zijn gouden stad? Welnu, ik ben zijn zoon, de Derde Prins. Taana was zijn koningin, het vrouwelijke stamhoofd.'

'Zijn zoon? En Forollkin ook?'

'Ja, maar...' Kerisj wist dat de Sjeyasa's geen onderscheid maakten tussen echtgenotes en concubines, zodat Forollkins positie zich moeilijk liet uitleggen. 'Ja, hoewel niet de zoon van een koningin. Ons geslacht heeft duizend jaren in Galkis geheerst, maar nu neemt onze macht af en we worden van vele kanten bedreigd.'

Kerisj vertelde zijn nichtje alles wat hij kon over de duisternis die Galkis steeds dichter naderde en hun zoeken naar de beloofde verlosser en hij haalde de gouden sleutels te voorschijn.

Gwerath keek er hunkerend naar. 'O neef, wat bof jij toch. Ik zou altijd gelukkig zijn als ik zoiets belangrijks had om voor te leven!'

Kerisj deed de sleutels weer aan de ketting. 'Gwerath, ik vrees dat Forollkin gelijk heeft en dat we nooit hadden mogen toestaan dat je de Sjeyasa's verliet, maar misschien moest het wel zo zijn dat jij aan onze speurtocht deelnam.'

'Denk je dat echt?'

'De Godin zelf heeft ons naar de Sjeyasa's gezonden. Daar moet een reden voor zijn geweest.'

'Dus dan geloof je niet dat de Godin boos op me zal zijn?'

Kerisj' antwoord werd overstemd door het lawaai dat Forollkin maakte toen hij naar binnen kroop met een malse vogel. Hij wierp hem Gwerath toe. 'Ziezo. Een lekkere malse vogel die jij mag klaarmaken.'

Gwerath keek er hautain naar. 'Een torga van de Godin doet niet het werk van gewone vrouwen.'

'Ik had kunnen vermoeden dat jij en Kerisj van hetzelfde laken een pak zijn,' kermde Forollkin. 'Wel, ik ben te moe om hem te plukken. Maak Gidjabolgo maar wakker.'

Toen ze gegeten hadden, wikkelden de reizigers zich in hun mantels en sliepen. Zelfs Kerisj was er nu aan gewend op de grond te slapen, maar het leek Gwerath niet mee te vallen. Ze lag wakker en probeerde de herinnering aan Tayeb en Eamey van zich af te zetten.

Kerisj en Gidjabolgo hoorden het gesmoorde gesnik en deden ieder voor zich en om verschillende redenen of ze sliepen. Tenslotte trippelde Lilahnee naar Gwerath toe en ging bij haar liggen, zacht spinnend. Het meisje stopte haar gezicht in de glanzende vacht van de moeraskat en viel weldra in slaap met een arm om Lilahnee.

De volgende dag trokken ze vlugger dan tevoren verder naar het zuiden. Forollkin hield geen rekening met zijn eigen blessures noch met de aanwezigheid van Gwerath en ze vroeg er ook niet om. Hij stemde er zelfs in toe haar te leren schieten en op de tiende avond van hun tocht slaagde ze erin een grote loopvogel te verschalken. Triomfantelijk sleepte ze hem naar hun kampvuur en gooide hem Gidjabolgo toe.

'Ik verwens alles wat gevederd is en de sukkel die dit beest heeft geschoten,' mopperde de Forgiet.

'Jij bent altijd ondankbaar,' zei Gwerath. 'Je hebt mijn neven niet eens bedankt die je van de Jager hebben gered.'

'Dat hebben ze gedaan uit angst voor de vloek van een tovenaar.'

'Het was onze plicht,' begon Forollkin.

'Dan zal ik de plicht bedanken,' snauwde Gidjabolgo.

'O geef hier, laat mij je daarmee helpen,' zei Kerisj en trok de vogel op zijn schoot.

'Maar een prins behoort toch geen slavenwerk te doen!' protesteerde Gwerath.

'Ik heb het je al meer gezegd,' zei Kerisj geduldig, 'Gidjabolgo is onze reisgenoot, en geen slaaf.'

Zijn vaardige vingers begonnen de gestippelde veren te ken en Forollkin ging bij het vuur zitten.
'Morgen zouden we de rand van het woud moeten bereike.
'En dan?' vroeg de Forgiet.
'Dan trekken we langs de rand verder naar de Engte van Lamoth. Eenmaal in Seld moeten we de Rode Woestijn en de citadel van Tir-Tonar zien te vinden.'
De hele volgende dag kwam het Immerverlaten woud steeds naderbij, tot ze de vormen en kleuren konden onderscheiden van de grote bomen die de vlakten omzoomden. De reizigers zetten hun rijdieren aan tot een galop om de schaduw van het woud te bereiken.
Gwerath liet zich van haar pony glijden en holde naar de eerste de beste boom om de schors te strelen. De verwondering op haar gezicht weerspiegelde zich flauw op de gezichten van al haar metgezellen.
Gwerath probeerde de stam te omarmen, pakte de laagste tak en liet haar vingers door de glanzende bladeren glijden. Lilahnee wreef zich luid spinnend tegen de schors.
'Wat zijn dat voor bomen?' vroeg Gidjabolgo.
'Ik heb ze in de tuin van de keizer gezien,' antwoordde Kerisj. 'Het zijn wachtbomen.'
'Bedenk toch eens dat deze bomen al vele mensenlevens in de wind staan,' zei Gwerath, 'de wacht houdend over de vlakten om het woud te bewaken!'
Haar woorden gaven Forollkin een wonderlijk onbehaaglijk gevoel. Hij wilde terugrijden over de winderige vlakten, weg van de donkere rijen oeroude bomen en de ordelijke duisternis die ze voortbrachten.
'We mogen het woud niet binnengaan, Gwerath, zelfs niet een paar stappen. Stijg weer op, dan kunnen we nog een uur rijden.'
Ze reden langs de rand van het woud tot zonsondergang. Tijdens de hele rit nam Kerisj geen enkel teken van leven in het woud waar. Geen vogel zong in de takken, geen dier wipte weg over de humuslaag. De wind die op de vlakten altijd aanwezig was, was gaan liggen. Niets streek door de takken van de wachtbomen of deed het kleinste blaadje trillen.
Ze sloegen hun kamp op bij een beek die het woud in stroomde. Het geklater van zijn water was eigenaardig gedempt waar het tussen de bomen verdween. Na een avondmaal van koud gevogelte legden de vermoeide reizigers zich te slapen.
Kerisj kon zich nooit alle dromen van die eerste nacht duidelijk herinneren, maar hij wist dat hij en zijn metgezellen voortrenden door een duisternis die vol was van veranderende ver-

…kingen, in de richting van een lichtende boog van bomen. …ag dat Forollkin ze bereikte, maar eensklaps bogen de tak… zich omlaag om hem de weg te versperren en de Galkiër …eerde terug alsof hij niets had gemerkt en alsof het hem niets kon schelen. Toen kwam Gwerath aanrennen en ook haar werd de weg versperd. Ze wendde zich huilend af en verdween in het donker. Maar toen Gidjabolgo verscheen gingen de takken omhoog en hij liep door de levende boog en verdween uit het gezicht.

In zijn droom naderde Kerisj de bomen vol angst, maar het was of de takken alleen even neerzegen om hem te groeten en zich dan terugtrokken om hem te laten passeren. Hij holde blij door een gouden tunnel van bomen en vergat zijn metgezellen die hij in het donker had achtergelaten. Hij kwam bij een lichte open plek en daar hoorde hij de muziek voor het eerst. Hij kon er later nooit één noot van herhalen, maar hij wist dat het de lieflijkste muziek was die hij ooit had gehoord.

Kerisj haalde Gidjabolgo in en merkte dat hij moeiteloos voortholde langs een gouden beek en langs hele bossen hoge bloemen met blaadjes van het donkerste purper, met zilver gestreept. Hun geur was bedwelmend en de muziek zwol aan. Kerisj wist dat hij bijna het hart van het woud had bereikt. Weldra zou hij alles begrijpen, maar net toen hij dansende schimmen tussen de bomen in het oog kreeg, werd hij wakker in de ijzige koude van middernacht.

Een volle maan scheen op het woud en de muziek was verstomd, maar Kerisj was er zeker van dat ze net een ogenblik langer had geduurd dan zijn droom.

Nu kon hij vogelzang horen en het geritsel van bladeren. De prins kwam overeind en zag dat Gidjabolgo ook wakker was. Hij staarde naar de beek die nu luidruchtig kolkend in het woud verdween alsof hij gezwollen was door een nieuwe watervloed.

'Wat is er, Gidjabolgo?'

'Ik hoorde muziek, maar blijkbaar alleen in mijn hoofd.'

Kerisj herinnerde zich plotseling een andere nacht en een ander soort muziek in de uitlopers van de Verste Bergen. Op hetzelfde moment kregen ze allebei een eenzame purperen bloem in het oog die zich over het water boog precies op de plaats waar het tussen de donkere bomen verdween.

Gidjabolgo trok aan Kerisj' arm. 'We moeten de beek volgen!'

'Ik kan het niet,' fluisterde Kerisj. 'Ik kan hen niet in de steek laten.'

'Blijf dan maar in het donker,' siste Gidjabolgo. De Forgiet stond op en liep naar de bomen.

'Als je nu weggaat, kom je nooit meer terug!' Kerisj wist ni waarom hij daar zo zeker van was. 'Je zult het doel dat je na jaagt nooit bereiken.'

Gidjabolgo aarzelde.

'Blijf bij ons.'

Hij greep de mantel van de Forgiet en plotseling draaide Forollkin zich om, bromde wat en opende zijn ogen.

Het vogelgezang hield op en het klateren van de beek werd een gemurmel.

'Wat is er?' vroeg Forollkin slaperig.

'Niets,' zei Kerisj, 'er is niets meer te zien.'

's Morgens was Gwerath de enige die over haar dromen sprak. 'Ik heb haar gezien,' zei ze. 'Ik heb de Godin gezien, maar ze liep van me weg, terug naar de bergen.'

Gwerath droomde niet weer, maar elke nacht dat ze bij de bomen kampeerden riep het woud Kerisj. Hij werd afgetobd wakker met een gewaarwording van droefheid alsof hij voelde dat hij het een of andere kostbare geschenk had geweigerd.

Gwerath zag zijn bleekheid en bood aan een toverformule voor hem te zingen die hem in slaap zou wiegen. Ze legde een hand op het voorhoofd van de prins en begon te zingen.

Na enkele woorden weifelde ze en haar hand gleed omlaag. 'Het is weg,' zei ze, 'de woorden zijn leeg.'

Zelfs Forollkin zag aan haar gezicht hoe ontroostbaar ze was.

'Nichtje, wat is er?' Hij sloeg een arm om haar schouders.

'Ik ben niet langer haar torga,' fluisterde Gwerath, 'de Godin is weg.'

Een tocht van tien dagen langs de rand van het woud bracht hen bij de Engte van Lamoth. Aan de ene kant van een breed, met gras begroeid pad stonden wachtbomen, maar aan de andere kant groeiden de kroonbomen van Seld met hun rood gebladerte. Er was wild in overvloed aan de rand van het bosrijke terrein en ze aten goed.

Twee dagen lang kwamen ze niemand tegen op de weg naar Lamoth, hoewel het pad de sporen van hoeven en karrewielen droeg.

De tweede nacht had Kerisj een andere droom. Toen de takken omhooggingen bevond hij zich in de tuin van de keizer en zijn vader stond voor hem. De witte sarcofaag stond aan zijn voeten, maar Kerisj wist dat hij leeg was. De keizer van Galkis glimlachte, kuste zijn zoon en verdween in de schaduwen.

Een week later hoorden de reizigers omstreeks het middag-

hoorns tussen de kroonbomen en geroep en gelach in de rte. Hoefgetrappel kwam in hun richting en plotseling kwam r uit het struikgewas een bevallig dier met zilveren hoorns te voorschijn. Het schrok van de reizigers, was met één sprong over het pad heen en verdween in de stilte van Immerverlaten.

Enkele seconden later kwamen er door de kroonbomen drie ruiters aangalopperen die hun paarden inhielden toen ze begrepen dat ze het achtervolgde wild kwijtgeraakt waren. Toen zagen ze de reizigers.

Twee van de drie ruiters waren jonge mannen, fantastisch gekleed in kleurige zijde en gaas; de derde was een vrouw. Ze droeg een eenvoudig groen gewaad en een simpel gouden diadeem dat in de schaduw werd gesteld door de weelde van haar koperkleurige haar.

'Jij daar!'

Een van de mannen wees met het ivoren handvat van zijn sierlijke zweep naar Forollkin. 'Heb je de gresjel langs zien komen?'

'Als je het dier bedoelt waarop jullie jaagden, dat is het woud ingevlucht.'

De vrouw sloeg haar handen ineen. 'Djezaney, ik vrees dat we onze buit dan kwijt zijn.'

Djezaney keek boos naar de reizigers: 'Zijn jullie barbaren dat je in tegenwoordigheid van de koningin te paard blijft zitten?'

'Misschien weten ze niet...' begon de tweede man, maar de reizigers stegen al af en Kerisj en Forollkin bogen hoffelijk.

De koningin van Seld groette hen met een lichte nijging van haar hoofd en staarde Kerisj aan: 'Waar komen jullie vandaan, vreemdelingen?'

Forollkin keek op in ogen die verbluffend groen waren.

'Uit Galkis, majesteit.'

'Leugenaar,' riep heer Djezaney, 'geen mens komt over land uit Galkis.'

'Maar wij wel.' Kerisj trok een ring met een smaragd van zijn vinger. 'Majesteit, hier is de ring van uw zuster als bewijs dat wij van het hof van de keizer komen.'

Koningin Pellameera pakte de ring aan en hield hem tegen het licht om de inscriptie te lezen.

'Het is de hare,' bevestigde ze, 'dezelfde ring die ik haar gaf toen haar schip naar Galkis vertrok. Waarom kan Kelinda die jullie hebben toevertrouwd? Aha, ik weet het.' De lome glimlach van de koningin was oogverblindend. 'Jij bent de vermiste prins.'

'Wat heeft uwe majesteit over een dergelijke prins gehoord?'

vroeg Kerisj.

'Dat de derde zoon van de keizer het hof van zijn vader verlaten,' antwoordde Pellameera, 'dat hij door Zindar op zoek naar iets dat niet bekend is. Zijn naam is Kerisj-Taan en ik herken je uit Kelinda's brieven.'

'Ik ben Kerisj-lo-Taan,' erkende de prins. 'Uw zuster heeft me gevraagd u te zeggen dat u gelijk had en dat ze, als ze haar leven kon overdoen, de tempel van Tryfis niet zou verlaten.'

'Kelinda was altijd argeloos en had er geen notie van hoe het in Zindar toegaat,' zei Pellameera, 'zoals het behoort voor de zuster van de koningin. Ze verwachtte liefde en dat is dwaas. Maar zeg me, prins, wie zijn je metgezellen?'

'Mag ik u mijn halfbroer, heer Forollkin, voorstellen?'

Pellameera schonk Forollkin een lachje, maar haar ogen bleven op het zilverharige meisje rusten dat naast hem stond.

'En dit is mijn nichtje, Gwerath, een... prinses van de Sjeyasa's.'

'Nichtje? Aha, welkom... prinses.'

Gwerath keek de koningin aan zonder iets te zeggen.

'En dit,' vervolgde Kerisj haastig, 'is onze reisgenoot. Gidjabolgo van Forgin.'

De koningin barstte in melodieuze lachsalvo's uit. 'Kijk eens, Djan, wat een schitterend groteske figuur! Hij kon model hebben gestaan voor een van de dwergen in het fries boven je bed.'

'En dit,' viel Kerisj haar in de rede, 'is Lilahnee, een Friaanse moeraskat.'

'Wat een vacht! Nee maar, Djezaney, zo'n alleraardigst troeteldier heb *jij* me nooit gegeven. Maar ze moet een met juwelen bezette halsband hebben. Ze krijgt er een van me.

Voor Kerisj kon uitleggen dat Lilahnee geen halsband wilde dragen, met hoeveel juwelen ook bezet, kwamen enige leden van het gevolg van de koningin door de bomen aanrijden.

'Wel prins, je moet met mij terugkeren naar Lamoth,' beval Pellameera, 'en dan moet je mij het relaas van je omzwervingen doen.'

'Ik dank uwe majesteit voor uw vriendelijkheid,' antwoordde Kerisj. 'Maar onze opdracht is dringend. We moeten de citadel van Saroc vinden.'

'Van Saroc? Hoor je dat, Djan? Djezaney? De prins durft een avontuur aan waarvoor alle dappere leden van mijn hofhouding teruggeschrokken zijn!'

'Allemaal op één na, vrouwe,' zei Djan heel zacht.

Pellameera keek even alsof ze hem zou slaan, maar ze zei zoetsappig: 'Bedankt dat je me eraan herinnert, Djan. Prins, rijd met mij naar het zuiden. Als je uitgerust bent zal ik je hel-

tocht voor te bereiden. Ik zal je zelfs naar de rand van ode Woestijn laten begeleiden.'
erisj boog. 'Nogmaals bedankt, majesteit. We nemen uw stvrijheid graag aan.'
'Kom dan naast me rijden.' Pellameera stak de prins haar hand toe om die te kussen.
Kerisj steeg op zijn witte paard en schaarde zich aan haar zijde. De edelen en het gevolg van de koningin stelden zich achter hen op. Forollkin, Gwerath en Gidjabolgo volgden zwijgend terwijl ze naar het koninklijke jachtslot van Lamoth reden.

12
Het Boek der Keizers: *Liefde*

En ze vroegen Jezreen-lo-Kaasj waarom hij huilde om de geliefden en hij antwoordde hen, zeggende: 'Er zijn zulken die anderen alleen om hun deugden liefhebben. Vaak zoeken ze al hun levensdagen naar iemand die hun liefde waardig is. Het voorwerp van een dergelijke liefde verdient altijd medelijden, omdat ze niet minder dan volmaakt durven te zijn. Dan zijn er zulken die de gebreken van anderen liefhebben en ze gebruiken om hun eigen kracht te voeden. Het voorwerp van deze liefde is eveneens te beklagen, omdat zij hun fouten niet durven af te leren.' Toen vroeg de jongste prins: 'Moeten we de liefde dan vaarwelzeggen?' en hij antwoordde: 'Nooit, mijn lieve zoon, maar de mindere liefde kan nooit tot de hogere leiden tenzij de geest onverzwakt is omdat hij zijn mysteries aan de geliefde prijsgeeft.'

Gidjabolgo zat op zijn hurken in de schaduw van een kroonboom en keek door een scherm van gebladerte naar de Galkiërs. Achter hen stond een van de vermaarde houten kastelen van Seld, speels verfijnd, elk oppervlak bedekt met geglazuurde groene, gouden en amberkleurige tegels.

Rondom het koninklijke jachtslot lag een park met gazons die bezaaid waren met witte en vuurrode bloemen. Onder de bomen speelden de edelen van Seld even ruw en luidruchtig als kinderen met een bal van zilverfiligraan.

Kerisj-lo-Taan liefkoosde de moeraskat aan zijn voeten toen ze gromde tegen passerende vreemden. Forollkin fronste aandachtig toen hij de koningin van Seld zag naderen.

Evenals al haar hofdames was Pellameera stemmig gekleed in een nauwsluitend, zilverig grijs gewaad. Een enkel groen juweel benadrukte de blankheid van haar voorhoofd en de glans van haar koperkleurige haar.

Kerisj probeerde even de bijzondere gratie van de koningin te definiëren toen ze over het gras zweefde. Daarop werd zijn aandacht getrokken door een andere gestalte en een ander soort gratie.

Naast de koningin liep Gwerath die nerveus de lichte zijde van haar jurk krampachtig vasthield en zonder succes probeerde de verwondering in haar grijze ogen te verbergen.

prins,' Pellameera schonk hem een van haar smeltenjes. 'Mijn edelen verzoeken mij hun wedstrijd bij te won een goede koningin mag haar onderdanen niets weige-. Kom bij me zitten, dan kun je me vertellen hoe je Seld ndt.'

Ze gaf de prins haar hand om haar naar een porseleinen troon onder een kroonboom te geleiden. Eén van de andere zetels werd Gwerath aangeboden. Even dacht Kerisj dat ze zou weigeren en op haar gebruikelijke manier op de grond zou gaan zitten. Maar Gwerath nam heel voorzichtig plaats, alsof ze bang was dat de tere zetel onder haar gewicht zou bezwijken.

'Wij hebben een gezegde in Seld,' prevelde Pellameera. 'De man gebruikt zijn lichaam, de vrouw haar hersens. En zo zijn onze taken verdeeld.'

'In Galkis zouden we zo'n verdeling onvruchtbaar vinden.'

'In Galkis houden jullie slavinnen,' antwoordde Pellameera scherp.

Een stuk grasveld was met linten afgebakend en de hofhouding dromde eromheen. De favorieten van de koningin, heer Djan in een mantel van veren en zilverkant en heer Djezaney, zowaar nog fraaier in met gouden lovertjes versierde abrikooskleurige zijde, bogen voor haar.

'Moeten jullie altijd tegen elkaar spelen?'

'Het gaat erom aan te tonen dat één van ons de eerste is in de ogen van uwe majesteit,' verklaarde Djezaney, de misvormde hand die hij met glinsterende ringen verkoos te accentueren, op zijn hart.

De koningin zuchtte diep. 'Mannen zijn zulke twistzieke wezens, maar ik kan jullie aard niet veranderen. Heer Forollkin...'

Zich gegeneerd bewust van de eenvoud van zijn reiskleding naast de schitterende adel van Seld knielde Forollkin voor de koningin.

'De prins heeft me wat over uw daden verteld. Wilt u ons niet een beetje van uw kracht en behendigheid laten zien en aan ons simpele spelletje deelnemen?'

'Met het grootste genoegen, majesteit, als het u behaagt.'

'Ik weet zeker dat het iedereen zal behagen die toekijkt. U mag zich bij de ploeg van heer Djan voegen.'

Het spel was inderdaad heel simpel. De zilveren bal moest van de ene man naar de ander worden geworpen tot hij over de linten aan deze of gene kant van het grasveld vloog. Elke ploeg probeerde de andere te hinderen en Forollkin merkte al gauw dat de hovelingen met gemene vastberadenheid speelden.

Het geluid van scheurende zijde en het gegrom bij ruwe klappen vermengden zich weldra met gelach en applaus van de kijkende dames.

Geen zweem van de afkeer van de prins verscheen op zijn gezicht, maar Pellameera keek naar het spel met een glimlach die half toegeeflijk en half smalend was.

Geen van beide ploegen slaagde erin de bal langer dan een minuut in zijn bezit te houden tot hij naar de lange Galkiër werd geworpen. Forollkin ontweek een tegenstander en gooide de bal naar Djan. De jonge edelman dook behendig langs twee aanvallers, schopte heer Djezaney opzij met een gespoorde voet en wierp de bal over het lint.

De koningin stond op en liet Djan bij zich komen, terwijl Djezaney in het vertrapte gras naar een verloren oorbel zocht. Terwijl hij zwijgend berekende wat het zou gaan kosten om zijn modderige uitdossing te vervangen, knielde Djan voor de koningin. Pellameera veegde een streep uitgelopen oogverf van zijn wang en bond het overwinnaarslint om zijn blonde krullen.

'Vandaag, Djan, ben jij de beste. Maar nu mijne heren, moet ik u aan uw vermaken overlaten. Prins, ik moet mijn Raad bijwonen, maar vanavond heb ik een feest voor jullie gearrangeerd.' Ze zweeg om Lilahnee te aaien. 'Vergeet niet je troeteldier mee te brengen en natuurlijk ook je reisgenoten.'

De prins boog en prevelde een bedankje. De koningin en haar hofdames gingen terug naar het slot, maar Gwerath ging niet mee.

Forollkin liep naar Kerisj, terwijl hij een pijnlijke arm wreef. 'Jij bent een beoordelaar van mooie dingen, Kerisj, vind je haar niet mooi?'

'In mijn ogen is ze niet zo mooi als haar zuster.'

'Kelinda? Och kom, die is slechts een afspiegeling van de schoonheid van de koningin!'

'Kelinda's schoonheid is de werkelijkheid,' zei Kerisj ernstig, 'en die van Pellameera is de afspiegeling.'

'Forollkin heeft gelijk.' De nerveuze vingers van Gwerath maakten haar gevlochten haar los. 'Niemand kan mooier zijn dan de koningin.'

'Maar toch, nichtje,' zei Forollkin vrolijk, 'moet je Kelinda leren kennen; ze is een dichteres en je zult haar heel aardig vinden.'

Kerisj glimlachte. 'Herinner je je dat gedicht van haar over de kroonbomen van Seld?'

'Ik herinner me dat jij het zong,' antwoordde Forollkin. 'En het zijn prachtige bomen. De keizer zou van deze tuin genieten.'

'Wat is een tuin?' vroeg Gwerath.

werden gestoord door een onverwacht lachsalvo. Djeza-had Gidjabolgo uit zijn schuilplaats getrokken en vertoon-hem nu aan zijn metgezellen.

'Vooruit, Forgiet, je hebt ons laten lachen met je uiterlijk, zing of dans nu voor ons, dan geef ik je dit juweel om om je hals te hangen.'

Dat was aanleiding voor nog meer gelach onder de edelen.

'Maar heer,' protesteerde iemand, 'u wilt toch zeker zo'n mooi ding niet verspillen aan iemand als hem!'

'Hoe zwarter de vatting, des te schitterender het juweel zal fonkelen. Ja, het contrast is verrukkelijk.'

Hij liet het juweel voor Gidjabolgo's gezicht heen en weer bengelen.

'Wat geef je ervoor, mijn stralende lelijkerd?'

'Ik zing niet voor geverfde poppen,' kraste Gidjabolgo en Djezaney sloeg hem in zijn gezicht met het scherp gerande juweel.

'Je zult zingen tot je keel zo droog is als de Rode Woestijn. Je zult dansen tot je van al het zweten slank bent geworden...'

Forollkins sterke handen daalden neer op Djezaney's schouders en de prins sprak met kalm gezag: 'Hare Majesteit zou ernstig ontstemd zijn als ze wist dat een van haar gasten beledigd werd. Ik stel voor dat je meester Gidjabolgo je excuses aanbiedt.'

Ziedend mompelde de Seldiër iets tegen Gidjabolgo en liep weg. Gegeneerd gingen zijn makkers hem haastig achterna.

'Gidjabolgo, moet je mensen altijd net zo lang provoceren tot ze je kwaad doen?' vroeg Kerisj.

'Ik dacht dat ik degene was die geprovoceerd werd,' Gidjabolgo wreef zijn bloedende wang en liet er onverwacht op volgen: 'Niettemin bedank ik je.'

Later, in hun weelderige vertrekken, kleedden Kerisj en Forollkin zich voor het feest van de koningin. De prins droeg zijn zelokajuwelen en de mooiste van de kleren die Sendaaka hen had gegeven.

Forollkin had een geschenk van de koningin aangenomen, een Seldisch gala tenue. Hij verklaarde overbodig uitvoerig dat het verstandig was om de gewoonten van het gastland over te nemen en stak zich in smaragdgroene en amberkleurige zijde. Kerisj vond de kleren verontrustend maar zei loyaal dat Forollkin er magnifiek uitzag.

Met Gidjabolgo in hun kielzog gingen ze naar de vertrekken van Gwerath. Ze troffen haar aan op de vloer, het meubilair bekijkend. Forollkin hees haar op en stofte haar jurk af.

'Hij ritselt als ik beweeg,' zei Gwerath schichtig.

'Je ziet eruit als een prinses. Zullen we nu naar beneden gaan, Gwerath?' vroeg Forollkin.

Ze klampte zich vast aan zijn arm en samen liepen ze de vergulde trap af.

De hele lange zomeravond amuseerde koningin Pellameera haar gasten onder zijden baldakijnen op het gazon. Muzikanten zaten onzichtbaar tussen de bomen verscholen en er zou gedanst worden nadat de zangers van Lamoth hun steentje hadden bijgedragen.

Kerisj zat op de ereplaats aan Pellameera's rechterhand, met Forollkin naast zich en Lilahnee aan zijn voeten. Gwerath zat stokstijf aan de linkerhand van de koningin, naast de opperceremoniemeesteres.

Gidjabolgo zat, volkomen uit de toon vallend, tussen de opgesmukte, geparfumeerde rijen van edellieden die in een kring op geborduurde kussens hingen. Hun geverfde krullen, met veren versierde mantels en fel gekleurde zijde vormden een schreeuwend contrast met de pasteltinten van de eenvoudige gewaden van de vrouwen.

De Galkiërs en de edelen kregen bokalen met wijn aangeboden, maar de koningin en haar hofdames niet. Het was beneden de waardigheid van een Seldische dame in het openbaar te eten of te drinken.

De chatelaine van Lamoth kwam naar voren met een kind met een plechtig gezichtje en haar dat nog roder was dan dat van de koningin. Het kind maakte een zorgvuldige revérence voor Pellameera en na enig aandringen, voor Kerisj.

'Ik wist niet dat uwe majesteit gezegend was met een dochter,' zei Kerisj.

'Ik heb er twee,' antwoordde de koningin luchtig, 'maar de jongste wordt op Tryfis opgevoed.'

'Net als uw zuster?'

'Zoals het hoort voor alle zusters van een koningin,' zei Pellameera. 'Ze gaan er alleen weg om te trouwen of te sterven. Je zou onze koninklijke graftomben moeten zien, prins. Alleen voor de doden bouwen we in steen, want het leven is kort en de dood is eeuwig. Ik zal je mijn graf laten zien als je meegaat naar Mel-kellin; het is nog niet klaar, maar het wordt heel mooi. Nu dan, als je je wijn op hebt, kunnen we beginnen.'

Pellameera klapte in haar handen en een lange vrouw met grijs haar stemde haar harp en begon een traditioneel lied, een lofzang op de koningin die haar schoonheid, wijsheid en clementie prees in uitvoerige verzen. Toen het lied uit was, wendde Pellameera zich tot de Galkiërs om hun mening te vragen.

'Geen enkel lied kan uwe majesteit recht doen wedervaren.'

Forollkins tong struikelde over het afgezaagde compliment.
Pellameera's heldere groene ogen ontmoetten de koele blik van de prins en haar lachje was vol zelfspot: 'Nee, inderdaad.'
De volgende zanger bracht een oude ballade die Kerisj eens met Kelinda had ingestudeerd. De herinnering aan hun vredige uren samen gaf hem plotseling een intens gevoel van heimwee. Toen kondigde de zanger de Ballade van Pergon van Lamoth aan.
'Een oud verhaal,' zei Pellameera, 'maar een verhaal dat je zal interesseren, prins,' en ze vertaalde het Seldisch persoonlijk in het Zindars voor hen.
'Er wordt gezegd dat Saroc een bloedverwant was van de eerste koningin van Seld. Hij maakte een diepgaande studie van de kunst van tovenarij, want in die tijd waren mannen in staat te leren. Hij moet de een of andere geheime bron van onsterfelijke macht hebben ontdekt. Hij heeft eeuwenlang in Tir-Tonar gewoond en daarmee het rijk van de koninginnen van Seld in tweeën gedeeld, omdat niemand zich waagt in de woestenij tussen de Witte Heuvels en de Rode Bergen.'
'Niettemin,' zei Pellameera zacht, 'was de Rode Woestijn eens een tuin en Tir-Tonar een vredige citadel. In de loop van de eeuwen is de macht van Saroc verduisterd, de tuin is verdord en Tir-Tonar is een oord van de angst geworden.'
'Ze zeggen,' riep heer Djezaney, 'dat de citadel van Saroc wordt bewaakt door afschrikwekkende beesten die boven de Rode Woestijn rondfladderen.'
'Het is waar,' zei de chatelaine van Lamoth. 'Ik heb hun schaduwen op het rode zand gezien en ik durfde geen voet in de woestenij te zetten.'
'Geen van mijn edelen durfde het, behalve Theligarn. Helaas, prins, hij kwam niet bij ons terug, maar hij stierf voor de glorie van zijn koningin en leeft voort in mijn dochters.'
Haar stem was volmaakt kalm, maar Kerisj wist niet wat hij moest antwoorden en Forollkin staarde in zijn lege bokaal.
'Alleen Pergon is ooit teruggekeerd uit de Rode Woestijn,' zei de chatelaine van Lamoth.
'Pergon van Lamoth,' Pellameera vatte het verhaal weer op. 'Heel Seld wist dat Saroc een jong en beeldschoon meisje gevangen hield. Pergon zwoer dat hij haar uit Tir-Tonar zou redden. Hij trok door de Rode Woestijn en maakte de monsterlijke bewakers af met de kracht van zijn zwaard. Hij drong de citadel binnen, trotseerde de tovenaar en vond het gevangen meisje in een betoverde tuin. Ze vluchtten samen, trotseerden vele verschrikkingen en op de grens van de wildernis slaakte Pergon een triomfantelijke kreet. Hij trok het meisje in zijn ar-

men, kuste haar lippen en zette haar neer op het groene gras van Seld. Voor zijn ogen werd ze oud, stierf en verviel tot stof. Saroc had zijn wraak.'

Saroc, haar vader, dacht Kerisj dof en begreep iets van Sendaaka's ondraaglijke pijn.

'Ben je nog altijd besloten naar Tir-Tonar te gaan, prins.' vroeg Pellameera.

'We moeten,' antwoordde Kerisj.

'Wat kijk je streng en heer Forollkin ook.' De koningin lachte. 'Morgen zal ik mijn best doen je weer van je voornemen af te brengen; vanavond zullen we Tir-Tonar vergeten. Prinses, ik hoop dat je ons zult vergasten op een lied of verhaal van je eigen volk? De prins heeft me over je kennis gesproken.'

Gwerath schudde haar hoofd en zei na een boze blik van Forollkin: 'Ze zouden hier niet passen.'

Pellameera's vingers speelden met het fonkelende juweel om haar hals. 'Waarom niet, prinses?'

De vraag leek ernstig, maar Gwerath hoorde een geamuseerd gemompel onder de hovelingen.

'Omdat u de gebruiken van de Sjeyasa's niet zou begrijpen,' antwoordde ze, 'en onze liederen zijn gemaakt tot lof van de Godin en de Zielenjager.'

'Een zielenjager? Wat doet hij met die zielen als hij ze vangt?'

'Onze liederen vertellen ons dat hij ze als trofeeën in zijn tent ophangt, maar dat is maar bij wijze van spreken...'

'Nee maar, wat een gevaarlijke jagersman!' riep de koningin uit, 'in Seld boffen wij toch maar dat wij geen ziel hebben.'

De hovelingen lachten, maar Gwerath keek onthutst. 'Iedereen heeft een ziel.'

'Is dat zo, prinses? Waar is de mijne dan?' De koningin legde haar hoofd in haar nek en spreidde haar mooie armen uit. 'Kun je haar zien?'

'Nee,' zei Gwerath woest, 'ik zie geen ziel in u.'

Even verstomde het gelach van Pellameera en uit haar groene ogen leek elk leven geweken. Toen verscheen de bekende glimlach weer. 'Ik ben blij dat je zo snel bekeerd bent tot de gebruiken van Seld. Hier zul je je goden en godinnen wel gauw vergeten.'

'Nooit,' zei Gwerath, maar nu sprak ze als een pruilend kind en Kerisj kwam tussenbeide: 'Majesteit, sta mij toe u te amuseren, in plaats van mijn nichtje.'

'Met alle plezier,' antwoordde Pellameera. 'Het zal vreemd voor ons zijn een man te horen die bedreven is in de hogere kunsten.'

risj' zildar werd uit zijn appartement gehaald en vlug emd. Na een ogenblik te hebben nagedacht hief de prins het d aan van de dichter-keizer en zijn kat. De stem die Gidjabolo herinnerde aan de kristallen carillons van Forgin vulde de stille zomeravond.

Kerisj vertelde van het paar gouden katten dat door Imarko zelf naar Galkis was gebracht en van hun afstammelingen, vertroeteld en gekoesterd in de tempels van Hildimarn tot er nog maar één over was – Resjad, de geliefde metgezel van de dichter-keizer. Toen hij ziek werd, wanhoopte de keizer van Galkis aan zijn leven maar op een avond zag een knecht, die in de tuin van de keizer de yilgen verzorgde waarvan de asgrauwe bloemen alleen in het maanlicht ontluiken, een kat; een kat die van een trap van manestralen leek te springen om in de schaduwen op jacht te gaan.

Nacht in nacht uit probeerde de keizer de maankat te vangen, maar hij slaagde er niet in. Tenslotte droeg hij Resjad naar de tuin en ging met de zieke kat op zijn schoot in het hart van de groep yilgen zitten. Toen de maan opkwam klom er een tweede kat op zijn schoot en begon Resjad te likken van het puntje van zijn droge neus tot aan zijn slappe staart. De keizer bleef geduldig zitten tot het dag werd en bij de eerste zonnestraal werd de zilveren vacht van de maankat goud en Resjad sprong op om met zijn staart te spelen. De keizer noemde de maankat Lilahnee en haar jongen vulden de tempels van Galkis met schoonheid en kattekwaad.

Ondanks het oprechte applaus voor zijn lied weigerde Kerisj nog een keer te zingen en keerde terug naar zijn plaats om zijn eigen Lilahnee te strelen. De koningin klapte in haar handen en een page bracht haar een ivoren kistje waarin een gouden halsband lag, bezet met groene edelstenen, en een zijden lijn.

'Een mooi verhaal, prins, en hier is de halsband die ik je voor je kat had beloofd.'

'Uwe majesteit is heel vriendelijk, maar ik kan uw geschenk niet aannemen. Een kat hoort geen halsband te dragen. Goud en zilver betekent niets voor haar; ze zou denken dat ik haar had verraden.'

'Maar bedenk toch hoe mooi het zou staan bij haar groene vacht!'

'Ze heeft geen sieraad nodig om mooi te zijn,' zei Kerisj vastberaden. 'Ik kan uw geschenk niet aannemen.'

De edelen mompelden over zijn onbeleefdheid, maar de koningin zei langzaam: 'Jij bent de eerste man die ooit een geschenk van mij heeft geweigerd.'

Ze wendde zich tot de page: 'Breng de halsband weg.'

Er viel een zenuwachtige stilte, maar Pellameera lachte de prins toe. 'Zul je ook weigeren met mij te dansen?'
'Nooit, als uwe majesteit mij uw Seldische passen wilt leren.'
'Heel graag, prins Kerisj-lo-Taan.'
De onzichtbare muzikanten tussen de bomen hieven een statige melodie aan en de dames van het hof kozen hun partners. De opperceremoniemeesteres vroeg Forollkin ten dans, maar Gwerath was te timide om een van de imponerende hovelingen te kiezen. Haar ogen volgden de gracieuze gestalten van de slanke, in het wit geklede koningin en de prins van Galkis.
Forollkin was onbeholpener, hij keek niet naar zijn partner en trapte op de zoom van haar kleed. De muziek stopte en met een geritsel van witte zijde maakte de koningin een revérence voor haar partner.
'We dansen goed samen, prins.' Pellameera riep tegen de muzikanten: 'Speel "de wenende koninginnen".'
'Geeft uwe majesteit de voorkeur aan een melancholieke melodie?'
'Jawel, hoewel de mannen zeggen dat ik nooit treurig ben,' prevelde Pellameera.
'De mannen in Seld staan niet bekend om hun wijsheid,' was Kerisj' weerwoord.
De muziek begon weer.
'Ik zie dat je nichtje niet danst.'
'Ze mag alleen met een familielid dansen,' loog Kerisj, 'dat is een gebruik van de Sjeyasa's.'
'Dan moet jij haar partner zijn,' verklaarde de koningin, 'en ik zal je broer leren dansen.' Ze gaf Forollkin haar beeldschone hand.
Gwerath weigerde eerst om te dansen, maar Kerisj overreedde haar. Hij leidde zijn nichtje naar het midden van het gazon. Met plechtige concentratie imiteerde Gwerath de passen van de prins, maar vermeed het hem aan te kijken.
Forollkin durfde evenmin zijn partner aan te kijken. Ze praatte onophoudelijk, maar later kon hij zich geen enkel woord herinneren dat zij had gezegd en of hij antwoord had gegeven.
Geen van de broers zagen een koninklijke koerier over het gazon lopen en onder de zijden baldakijn staan wachten tot de dans uit was.
De muziek aarzelde. Lachend riep de koningin om een ander wijsje, maar een van de hofdames snelde naar haar toe en fluisterde iets.
'Prins,' zei Pellameera, 'er is een gezant van je vaders hof aangekomen die onmiddellijk om audiëntie vraagt.'

Kerisj zag de witte mantel van de bode en zijn hand klemde zich vaster om Gweraths pols.
De Galkische afgezant, die naar Kerisj had staan staren, boog voor de koningin en overhandigde haar een rol purperen perkament. Ze las hem fronsend door.
'De keizer van Galkis kondigt zijn dood aan. Wanneer hebt u zijn hof verlaten?'
'Ik ben twee maanden geleden uit Efaan vertrokken, vrouwe.'
'Dan moet hij nu dood zijn.'
Eindelijk begreep Kerisj zijn droom in de Engte van Lamoth en Pellameera zei: 'Dan is mijn zuster nu dus koningin van Galkis.'
En Rimoka is keizerin, dacht Forollkin dof, en regeert de negen steden.
Pellameera las de rol ten einde. 'De keizer verzoekt ons zijn dood te vieren met de gebruikelijke feestelijkheden. Morgen zal een dag van vreugde zijn.'
'Uwe majesteit bewijst de nagedachtenis van mijn vader eer,' prevelde Kerisj.
Forollkin kwam bezorgd naar zijn broer toe en Gidjabolgo was van zijn plaats tussen de hovelingen opgestaan, maar de prins had hun hulp niet nodig.
'Als uwe majesteit mijn vader had gekend,' zei Kerisj, 'zou u begrijpen dat feestelijkheden op hun plaats zijn. Voor hem was de dood de enige poort naar de vreugde.'
'Hij bofte dat hij dat geloofde,' antwoordde Pellameera. 'In Seld is de dood de poort naar de ondergang. Meer muziek! Zullen we nog een keer dansen?'
Kerisj boog. 'Ik zal met u dansen, maar we moeten weldra op weg gaan naar de Rode Woestijn.'
'Zit je zo te popelen om je in gevaar te begeven? Dan zal Djezaney je begeleiden. Je hebt me nog niet verteld wat je in Sarocs citadel zoekt.'
'Nee, majesteit.'
Kerisj bood haar zijn arm aan en ze openden de dans. Gwerath ging verlegen naar Forollkin toe.'Waarom begroette je vader de dood in plaats van te vluchten voor de Jager en op zijn speer te spartelen? Was zijn leven zó treurig?'
'Hij dacht van wel.'
'Mijn deelneming.' Gwerath probeerde Forollkins gezicht te ontcijferen. 'Het moet je verdriet doen.'
Hij schudde zijn hoofd. 'Ik heb hem nauwelijks gekend. Ik ben nooit betrokken geweest bij zijn leven, ik kan het evenmin bij zijn dood zijn.'

Kerisj en Pellameera dansten in de vallende schemering en drie dagen later gingen de vier reizigers op weg naar de Rode Woestijn en Tir-Tonar.